포겔프라이 프롤레타리아

영화 〈밀라노의 기적〉의 마지막 장면 "빗자루를 타고 날아가는 사람들", 1951.
마르크스와 엥겔스는 『공산주의자 선언』에서
"프롤레타리아들이 혁명 속에서 잃을 것은 족쇄뿐"이며
"이들에게는 획득해야 할 세계가 있다"라고 썼습니다.
나는 이 문구를 볼 때마다 족쇄를 떨치고 자유롭게 비상하는 새 한 마리가 떠오릅니다.
나는 '포겔프라이 프롤레타리아'라는 말을 통해
혁명의 주체를 다시 생각해보고 싶습니다.

저자의 말
――포겔프라이 프롤레타리아

수백수천의 상품이 있어도 노동력이라는 상품 하나가 없으면 자본주의도 없습니다. 노동력 없이는 가치증식이 불가능하고, 가치증식이 불가능하다는 건 자본이 불가능하다는 뜻이니까요. 〈북클럽『자본』〉 시리즈의 마지막 권인 이 책은 자본주의가 어떻게 출현했는지를 다루는데요, 이야기의 시작은 당연히 임금노동자의 탄생입니다.

마르크스가 들려주는 옛이야기는 그야말로 잔혹동화입니다. 농민들(생산자)이 땅(생산수단)을 빼앗긴 채로 쏟아져 나오는 과정도 그렇고, 이들이 임금노동자로 전환되는 과정도 그렇습니다. 임금노동자는 비유컨대 인간무리를 짓이겨 반죽하고, 틀에 넣어 모양을 만든 뒤, 불에 구워내는 식으로 생겨났습니다. 비유이긴 하지만 실제와의 간극이 크지 않습니다. 당시 국가는 임금노동자를 만들기 위해 실제로 채찍과 불을 사용했습니다. 채찍질을 하고, 불에 달군 쇠로 낙인을 찍고, 그래도 안 되면 처형해버렸습니다. 노동하지 않고 빈둥대는 자들을 국가반역죄로 다스렸지요. 너무나 끔찍한 일이 많았던 터라 마르크스는 이 일들이 "피와 불의 문자들로 인류의 연대기에 기록"되어 있다고 했습니다.

그런데 마르크스는 당시 생산수단을 잃고서 쏟아져 나온 사람들을 아주 독특한 이름으로 부릅니다. 바로 '포겔프라이 프롤레타리아'(vogelfreie Proletarier)인데요. 근대적 프롤레타리아의 선행적(혹은 원형적) 형상이라고 할 수 있습니다.

'포겔프라이'(vogelfrei)는 글자 그대로 '새처럼(vogel) 자유롭다(frei)'라는 뜻입니다. 땅에 묶여 있지 않은 존재, 자유롭게 이동할 수 있는 존재를 가리키지요. 그런데 언제부턴가 이 말에는 다른 의미가 달라붙었습니다. 사람을 처형한 후 새들의 먹이로 내던지는 경우가 있었는데, 이때 '새(vogel)에게 내던져졌다(freigegeben)'라는 표현에서 포겔프라이의 새로운 의미가 생겨났습니다. 공동체에서 '추방되어 아무런 보호도 받을 수 없는' 존재, 자신이 머무는 곳에서 '아무런 권리도 갖지 못한' 존재, 그래서 '무차별적 폭력에 노출된' 존재를 지칭할 때 이 말을 썼습니다. 오늘날의 이주노동자, 특히 미등록 이주노동자에게 딱 맞는 표현이라고 할 수 있습니다. 법적 보호를 받을 수 없기에 손쉬운 착취의 대상이 되는 사람들 말입니다.

근대 프롤레타리아의 선행적(혹은 원형적) 형상이 미등록 이주노동자를 닮았다는 것은 의미심장합니다. 프롤레타리아의 탈영토적 기원을 말해주는 것처럼 보이기 때문입니다. 영토란 법적인 땅, 주권의 지배가 이루어지는 땅인데요. 프롤레타리아는 애초 영토에서 쫓겨난 자들, 영토 바깥에서 온 자들,

영토 안에서 영토 바깥(법 바깥)을 살아가는 자들이 아니었을까요.

이 책은 주로 포겔프라이 프롤레타리아들의 비참을 다룹니다. 폭력에 무방비로 노출된 존재, 자본의 먹잇감으로 내던져진 존재로 프롤레타리아를 묘사하고 있지요. 임금노동자의 탄생이라는 관점에서 기술했기 때문에 그런 면이 많이 부각되었습니다. 그렇다고 해서 '포겔프라이'라는 말에 부정적 함의만 있다고 생각해서는 안 됩니다. 오히려 이 말의 적극적이고 긍정적인 함의를 읽어내는 것이 중요합니다. 그래서 여기에 몇 마디 적어두고자 합니다.

포겔프라이 프롤레타리아들이 봉건적 관계의 해체로 인해 그나마 보장받던 권리를 잃은 건 사실입니다. 그렇다고 해서 이들이 봉건적 관계로 돌아가야 했다고 말할 수는 없습니다. 봉건적 관계란 봉건적 속박이기도 하니까요. 관계가 해체되었다는 것은 이 속박에서 벗어났다는 뜻입니다. 신분제로부터의 해방, 그 의미를 낮잡아서는 안 됩니다.

또한 포겔프라이 프롤레타리아들을 지나치게 무력하고 비참한 존재로 그리는 건 오해를 불러일으킬 수 있습니다. 이들의 임금노동자로의 전환을 불가피한 것, 심지어 필연적인 것으로 비치게 할 수 있지요. 사실 이 전환은 불가피한 것도,

필연적인 것도 아니었습니다. 봉건적 농노의 처지를 벗어난 것과 자본주의적 임금노동자가 되는 것 사이에는 큰 간극이 있습니다. 전자에서 후자로 이행해야 할 아무런 내적 필연성도 없지요. 그래서 외적 폭력이 필요했던 겁니다.

게다가 폭력이 그토록 잔인했던 것은 포겔프라이 프롤레타리아들이 그만큼 고분고분하지 않았다는 방증입니다. 실제로 땅에서 쫓겨난 농민들은 고분고분하지도 않았고 무력하지도 않았습니다. 우리는 이 시대가 농민전쟁의 시대였다는 걸 잊으면 안 됩니다. 농민들은 해방 사회를 꿈꾸며 압제자들과 전쟁을 벌였습니다. 비전과 강령도 무척 선진적이었습니다. 엥겔스가 현대 공산주의 분파들보다 더 풍부한 무기고를 갖추었다고 평가할 정도였지요.

포겔프라이 프롤레타리아는 한편으로는 자유로운 자, 해방된 자이고, 다른 한편으로는 추방된 자, 보호받지 못한 자, 권리 없는 자입니다. 중요한 것은 이것이 한 존재의 형상이라는 겁니다. 나는 마르크스가 떠올린 혁명적 주체의 형상, 말하자면 혁명적 프롤레타리아의 형상이 이것이라고 생각합니다. 혁명적 프롤레타리아는 단순히 자유로운 자가 아닙니다. 단순히 자유로운 자는 사회변혁의 주체가 될 수 없습니다. 변혁의 필요성도 느끼지 못하겠지요. 그렇다고 추방된 자, 권리를 상실한 자, 박탈당한 자가 곧바로 변혁의 주체가 되는 것도 아닙니다. 변혁에 나서기는커녕 생존을 위해 적응하려고 애쓰겠지요. 자유에 대한 열망보다 자유에 대한 두려움이 더 클 겁니다.

결국 해방은 '새의 먹이로 던져진 존재'가 '새처럼 자유로운 존재'가 될 수 있는가에 달렸습니다. 이것이 어떻게 가능할까요. 귀화, 회복, 보상 같은 것으로는 어렵습니다. 적어도 마르크스는 그렇게 보지 않았습니다. 생존을 위협할 정도로 압제의 사슬이 조여드는 상황에서는 그런 방어적 투쟁도 필요합니다만, 어떻든 그런 식으로는 예속에서 벗어날 수 없습니다. 적어도 내가 이해한 마르크스는 반대의 길을 주장했습니다. 추방된 자는 더 멀리 떠나야 합니다. 추방한 곳으로의 귀국이나 추방된 곳에서의 귀화에 대한 욕망을 끊어낼 때까지 떠나야 합니다. 상실한 자는 한 번 더 상실해야 합니다. 상실감까지 상실할 정도가 되어야 합니다. 상실을 상실하는 것, 결핍을 결핍하게 하는 것이 중요합니다. 상실을 상실하는 것은 상실이 없던 상태로 돌아가는 것이 아닙니다. 상실한 것을 적극적으로 내다 버리는 것입니다. 첫 번째 상실은 수난이고 슬픔이지만 두 번째 상실은 행동이고 웃음입니다.

이 정신이 가장 잘 구현된 글이 마르크스와 엥겔스가 쓴

『공산주의자 선언』입니다. 이들에 따르면 프롤레타리아는 사유재산이 없고 가족이 없으며 국가가 없습니다. 그런데 프롤레타리아는 이것들을 달라고 말하지 않습니다. 프롤레타리아는 이것들에 아무런 매력을 느끼지 못합니다. 이것이 혁명입니다. 혁명이란 더 많은 사유재산, 더 친밀한 가족, 더 강력한 국가를 원하는 게 아니라 이런 것들로 이루어진 삶과는 다른 삶, 다른 세상을 원하는 것입니다.

마르크스와 엥겔스는 『공산주의자 선언』에서 "프롤레타리아들이 혁명 속에서 잃을 것은 족쇄뿐"이며, "이들에게는 획득해야 할 세계가 있다"라고 썼습니다. 나는 이 문구를 볼 때마다 족쇄를 떨치고 자유롭게 비상하는 새 한 마리가 떠오릅니다. 사실 전통적인 마르크스주의자들은 이런 이미지를 좋아하지 않았습니다. 이들은 '새처럼 자유롭게 떠나는' 사람들보다 '공장에서 머물며 단련된' 사람들을 혁명의 주체로 생각했지요.[1]

그러나 나는 포겔프라이 프롤레타리아라는 말을 통해 혁명의 주체를 다시 생각해보고 싶습니다. 프리드리히 니체(F. Nietzsche)는 안주하지 않고 타협하지 않고 구속되지도 않는 자들, 기꺼이 추방된 자의 길을 걷는 자들에게 '포겔프라이'라는 말을 선사했습니다. 그리고 이런 자유정신의 소유자들을 '포겔프라이 왕자'라고 불렀습니다.[2] 마이클 하트(Michael Hardt)와 안토니오 네그리(Antonio Negri)는 〈모던 타임스〉의 찰리 채플린이 보여준 '가난하면서도 새처럼 자유로운 웃음'에서 '포겔프라이'를 찾았습니다. 이 웃음이야말로 진정 '예언적인 것'이라고 했지요.[3] 프롤레타리아 혁명은 정말로 이 체제와 단호히 결별하고자 하는 가난한 자들의 자유정신과 환한 웃음에 달려 있지 않을까요.

차례

일러두기

- 『포겔프라이 프롤레타리아』는 열두 권의 단행본과 열두 번의 강연으로 채워지는 〈북클럽 『자본』〉 시리즈의 12권입니다. 〈북클럽 『자본』〉은 철학자 고병권이 카를 마르크스의 『자본』 I권을 독자들과 함께 더 깊이, 더 새롭게, 더 감성적으로 읽어나가려는 기획입니다.
- 『포겔프라이 프롤레타리아』는 『자본』 I권 제7편 "자본의 축적과정"의 제24장 "이른바 본원적 축적"과 제25장 "근대 식민이론"을 다룹니다. 〈북클럽 『자본』〉의 출간 목록과 다루는 내용은 아래와 같습니다. 괄호 안은 『자본』 I권의 차례이며 독일어 판본(강신준 옮김, 『자본』, 길)을 기준으로 삼았습니다.

  1권(2018. 08) — 『다시 자본을 읽자』
  (『자본』 I권의 제목과 서문 등)

  2권(2018. 10) — 『마르크스의 특별한 눈』
  (『자본』 I권 제1장)

  3권(2018. 12) — 『화폐라는 짐승』
  (『자본』 I권 제2~3장)

  4권(2019. 02) — 『성부와 성자_자본은 어떻게 자본이 되는가』
  (『자본』 I권 제4장)

  5권(2019. 04) — 『생명을 짜 넣는 노동』
  (『자본』 I권 제5~7장)

  6권(2019. 06) — 『공포의 집』
  (『자본』 I권 제8~9장)

  7권(2019. 10) — 『거인으로 일하고 난쟁이로 지불받다』
  (『자본』 I권 제10~12장)

  8권(2019. 12) — 『자본의 꿈 기계의 꿈』

(『자본』 I권 제13장)

9권(2020. 03)—『임금에 관한 온갖 헛소리』

(『자본』 I권 제14~20장)

10권(2020. 08)—『자본의 재생산』

(『자본』 I권 제21~22장)

11권(2020. 12)—『노동자의 운명』

(『자본』 I권 제23장)

12권(2021. 04)—『포겔프라이 프롤레타리아』

(『자본』 I권 제24~25장)

- 〈북클럽『자본』〉에서 저자는 독일어 판본 '마르크스·엥겔스전집' *MEW: Marx Engels Werke*과 김수행이 우리말로 옮긴 『자본론』(I, 비봉출판사, 2015), 강신준이 우리말로 옮긴 『자본』(I, 길, 2008)을 참고했습니다. 본문 내주는 두 번역본을 기준으로 표기하되 필요하면 지은이가 번역문을 수정했습니다. 단, 본문에서 마르크스의 『자본』 원문의 해당 장(章)을 언급할 때, 시리즈의 3권부터는 독일어 판본을 기준으로 표기하고 영어 판본(김수행 번역본)이 그것과 다를 경우 괄호로 병기했습니다.
- 〈북클럽 『자본』〉은 이전에 없던 새로운 활자체를 사용하였습니다. 책과 활자를 디자인하는 심우진이 산돌커뮤니케이션과 공동 개발한 「Sandoll 정체」가족의 530, 630입니다. 그는 손글씨의 뼈대를 현대적으로 되살려 '오래도록 편안한 읽기'를 위한 본문 활자체를 제안하였습니다. 아울러 화자의 호흡을 고스란히 드러내는 문장부호까지 새롭게 디자인하여 글이 머금은 '숨결'까지 살려내기를 바랐습니다.

1

수치스러운 기원

처음의 자본은 어떻게 생겨났는가.
마르크스에 따르면
정치경제학자들이 '시초축적'을 설명하는 방식은
신학에서 '원죄'를 설명하는 방식과 비슷합니다.
"아담이 사과를 따먹었다"라는 식의
옛날이야기를 꺼낸다는 거죠.
자본이 써내려간 창세기에 따르면
자본가 아담의 태초 행동으로
인류의 극소수는 아무런 일을 하지 않아도 부자고
대다수는 아무리 일해도 가난한 운명에
빠져든 것인데요. 사과 한입 베어 문 일로
전 인류를 죄지은 운명으로 몰아넣은 아담에
필적하는 이야기라 할 수 있습니다.

히에로니무스 보스, 〈'세속적 쾌락의 동산' 중 낙원〉(부분), 1490~1510.
물론 '신학의 원죄설'과 '경제학의 원죄설' 사이에는 차이가 있다.
사과를 베어 먹은 아담은 "이마에 땀을 흘려야만 먹을 걸 얻을 수 있는 저주"를 받았지만
자본가 아담은 태초의 행동으로 "조금도 일할 필요가 없는" 축복을 얻었다.

기원을 신성시하는 것은 왕국들의 오래된 책략입니다. 기원을 꾸미는 것이 현재를 꾸미는 일임을 알기 때문이지요. 왕국이 기원에서 유래했다기보다 기원이 왕국에서 유래했다고 말하는 편이 옳을 겁니다. 왕국의 기원은 대개 왕국의 발명품입니다. 우리는 흔히 현재가 미래를 만들어간다고 합니다. 그러나 현재는 과거도 만들어갑니다.

그래서 혁명가들, 비판가들은 미래를 걸고 싸우는 것만큼이나 과거를 걸고도 싸워야 합니다. 이렇게 말할 수도 있겠습니다. 과거로 돌아가는 것이 다른 미래로 나아가는 길이기도 하다고요. 현재의 '신성한 기원'을 '실제 역사'로 대체하는 것, '신성한 기원'이 은폐한 '수치스러운 기원'(pudenda origo)[4]을 폭로하는 것이야말로 다른 미래로 가는 출발점일 수 있습니다.

◦ 자본의 유치한 '창세기'

이번 책은 『자본』 I권의 마지막 장들(독일어판은 제7편의 제24장과 제25장, 영어판은 제8편의 제26~33장)을 다루는데요. 시리즈의 지난 책들과 비교하자면 일종의 '프리퀄'(prequel)이라 할 수 있습니다. 11권까지 우리가 다룬 내용과는 사뭇 분위기가 다릅니다. 11권까지는 자본주의적 생산양식을 전제하고 내용을 펼친 것인데, 이번 12권은 그 전제가 어떻게 형성되었는지를 다룹니다. 자본주의적 생산양식의 '전사'(前史, Vorgeschichte)라고 할 수 있지요.

생각해보면 『자본』에서 '자본' 개념을 처음 정식화했을 때도 이미 일정액의 돈이 주어져 있었습니다. 자본이란 '잉여가치를 낳는 가치'라고 했는데요. 잉여가치가 존재하기 위해서는 그것을 낳는 가치가 주어져 있어야 합니다. 개별 자본이 아니라 총자본의 관점에서 보아도 그렇습니다. 자본주의적 생산양식이 시작되려면 일정 규모 이상으로 축적된 자본(일정 규모 이상의 가치량)이 존재해야 합니다.

이 '시작하는 자본'이 없다면 자본의 순환 운동은 시작될 수 없습니다. 순환 운동을 한다 해도 공회전밖에 안 되겠지요. 여기서 벗어나려면 자본의 순환 이전에 존재하는 '시초축적'(ursprüngliche Akkumulation)을 상정해야 합니다.[김, 977; 강, 961]

애덤 스미스도 비슷한 이야기를 한 바 있습니다.[5] 분업사회에서 사람들은 교환을 통해 살아갑니다. 교환을 통해 생활수단도 얻고 원료와 도구도 얻습니다. 그런데 교환을 하려면 우선 자신의 생산물을 만들어야 합니다. 그러니까 처음 한 번은 교환 없이도 생활하고 생산할 수 있을 만큼의 자원을 비축하고 있어야 합니다. '선행적 축적'(previous accumulation)이 있어야 한다는 거죠.[김, 977; 강, 961]

자본주의적 생산양식의 출현을 위해서도 선행적 축적이 필요합니다. 이 규모가 클수록 자본가는 더 많은 노동자를 고용할 수 있고 작업도 세분화할 수 있습니다. 자본주의적 생산양식의 최초 생산형태라고 할 수 있는 매뉴팩처만 해도, 과거의 길드와는 비교할 수 없을 정도의 선행적 축적을 필요로 합니다(『거인으로 일하고 난쟁이로 지불받다』, 64쪽).

이런 축적은 어떻게 생겨났는가. 이것이 이번 책의 주제입니다. 처음의 자본, 처음의 자본가는 어떻게 생겨났을까요. 시리즈 4권에서 마르크스는 자본과 잉여가치의 관계를 아버지와 자식의 관계에 비유한 바 있습니다. 아버지는 어떻게 아버지가 되었는가. 자식을 낳음으로써 한 남자는 아버지가 됩니다. 자식의 탄생이 곧 아버지의 탄생이라고요. 그런데 이 사실을 확인하기 위해 우리가 태초의 아버지로 돌아갈 필요는 없다고 했습니다(『성부와 성자』, 44쪽). 어느 시대든 자식의 탄생이 곧 아버지의 탄생임을 확인할 수 있으니까요. 굳이 카인을 낳은 아담까지 거슬러 올라갈 필요는 없습니다.

하지만 처음의 자본도 나중의 자본들처럼 그렇게 태어났을까요. 나중의 자본들은 자본이 낳은 자본입니다. 그러나 처음의 자본은 논리상 그럴 수 없습니다. 아버지와 아들의 비유를 써서 말해볼까요. 아담이 아버지가 될 수 있었던 것은 카인을 낳았기 때문입니다. 이 점에서는 카인과 다르지 않습니다. 카인도 에녹을 낳음으로써 아버지가 되었지요. 하지만 아담에게는 배꼽이 없습니다. 카인과 달리 태에서 나온 사람 즉 태어난 사람이 아니죠. 아들로 태어나 아버지가 된 사람 즉 재생산된 인간이 아니라는 말입니다. 처음의 자본도 그렇습니다. 처음의 자본은 자본이 낳은 잉여가치(자식)가 다시 자본(아버지)으로 전환된 것이 아닙니다. 재생산된 자본이 아니지요.

그렇다면 처음의 자본은 어떻게 생겨났는가. 마르크스는 정치경제학자들이 '시초축적'을 설명하는 방식은 신학에서 '원죄'를 설명하는 방식과 비슷하다고 말합니다. "아담이 사과를 따먹었다"라는 식의 옛날이야기를 꺼내는 거죠.[김, 977; 강, 961] "옛날 옛적에 한편에는 부지런하고 총명하며 무엇보다 근검절약하는 엘리트가 살았고, 다른 한편에는 게으르고 자신의 모든 것을, 아니 그 이상을 써버리는 룸펜이 살았다."[김, 977; 강, 962] 한쪽은 열심히 일하고 근검절약하여 부자가 되었는데, 다른 한쪽은 게으르고 낭비벽이 심해 결국 내다 팔 것이라고는 자신의 '가죽'밖에 없는 가난뱅이가 되었다는 이야기. 전자가 자본가의 선조이고 후자가 노동자의 선조라는 겁니다.

꼭 「개미와 베짱이」라는 우화 같습니다. 그런데 이런 우화로 자본가와 노동자의 탄생을 설명할 수 있을까요. 조금만 생각해보면 이것이 얼마나 황당한 이야기인지 알 수 있습니다. 한번 개미였던 사람은 '이제 더는 일하지 않아도 계속 늘어나는 부'를 가진 대대손손 베짱이가 되고, 한번 베짱이였던 사람은 '매일 뼈 빠지게 일해도 헤어날 수 없는 빈곤'의 늪에 빠진 개미가 되니까요. 대대손손 베짱이인 사람들의 선조가 개미였다는 말을 믿어야 할까요. 대대손손 개미인 사람들이 빈곤과 산재에 시달리는 이유가 그 선조가 베짱이였기 때문이라는 말을 믿어야 할까요. 이런 게 자본가와 노동자가 세상에 출현한 이야기라고요?

자본의 창세기에 따르면 자본가 아담의 태초 행동으로 인류의 극소수는 아무런 일을 하지 않아도 부자이고 대다수는 아무리 일해도 가난한 운명에 빠져든 셈인데요. 사과(선악과)를 한입 베어 문 일로 전 인류를 죄지은 운명으로 몰아넣은 아담에 필적하는 이야기라 할 수 있습니다. 물론 '신학의 원죄설'과 '경제학의 원죄설' 사이에는 차이가 있습니다. 사과를 베어 먹은 아담은 그 일로 "이마에 땀을 흘려야만 먹을 것을 얻을 수 있는 저주"를 받았지만 자본가 아담은 태초의 행동으로 "조금도 일할 필요가 없는" 축복을 얻었으니까요. [김, 978; 강, 962]

참으로 유치하기 짝이 없는 이야기죠. 하지만 '소유권 문제' 즉 사유재산 문제가 쟁점으로 떠오르면 부르주아들은 이런 이야기를 정설이라도 되는 듯 떠들어댑니다.[김, 978; 강, 962] 사실은 요즘도 그렇지요. 많은 부자가 실제로 자신이 재산을 어떻게 모았는지는 금세 잊어버립니다. 그러고는 한결같이 말하죠. '내가 얼마나 피땀 흘려 모은 재산인데'라고요.

사실 '노동'은 근대 부르주아들이 사유재산을 정당화하는 핵심 기제였습니다. 초기 부르주아 사상가들은 신체에 대한 완전한 소유권(인신의 자유)에서 시작해, 이 신체를 움직여 얻은 노동생산물에 대한 완전한 소유권을 주장했습니다(『자본의 재생산』, 104~105쪽). 정치경제학자들도 다르지 않습니다. 최초의 자본가는 아마도 스미스가 상정한 원시인 사냥꾼들 중 한 사람이었을 거라고 생각하지요. 열심히 일해서 많은 사슴을 잡고 그것을 해리와 교환하는 식으로 재화를 축적한 사람이었을 거라고요. 근면한 노동, 정의로운 교환, 근검절약 등이 합쳐져 자본이 생겨났다는 겁니다. 자본가 일반이 스스로를 그렇게 생각하는 경향이 있습니다. 처음 돈은 자신이 열심히 일하고 양심껏 거래를 해서 모은 재산이라고요. 마르크스가 비꼬며 말하듯, "매번 '금년'만은 예외"지만요.[김, 978; 강, 962]

그럼 실제 역사는 어떠했을까요. '온화한 정치경제학'이 들려주는 '목가적인 이야기'와는 다릅니다. 재벌 기업의 기념관에 적힌 창업주의 가슴 뭉클한 이야기와는 분위기가 딴판이죠. 곧 살펴보겠지만, "실제 역사에서는 정복과 압제, 살인 강도, 요컨대 폭력이 큰 역할"을 했습니다.[김, 978; 강, 962] 이 이야기에서 만날 빨간색은 장밋빛이 아닙니다. 그것은 핏빛입니다.

◦ 어떤 번역어를 택할 것인가
—'원시적 축적', '본원적 축적', '시초축적'

이제 곧 실제 역사로 들어갈 텐데요. 용어 번역에 대해 잠시 언급하고자 합니다. 이번 장(독일어판 제24장, 영어판은 제8편) 제목이 '소위 시초축적'인데요. 여기서 '시초축적'이라고 옮긴 독일어는 'usprüngliche Akkumulation'입니다. 이 말을 어떤 사람들은 '원시적 축적'으로 옮기고, 또 어떤 사람들은 '본원적 축적', 또 어떤 사람들은 '시초축적'이라고 옮깁니다.

먼저 '원시적 축적'이라는 말부터 보겠습니다. 이 말은 'primitive accumulation'이라는 영어 번역에서 가져온 게 아닌가 싶습니다.[6] 영어권에서는 오랫동안 이 말을 써왔습니다. 영어권에서만 그런 것은 아닙니다. 『자본』의 프랑스어판 초판에도 동일한 용어가 사용되었습니다.[7](참고로 1983년 새로 번역된 프랑스어에서는 'primitive' 대신 'initial'이라는 용어를 썼습니다. '처음', '시작'이라는 뜻을 강화한 것이지요).

내 생각에 '원시적 축적'은 좋은 번역어가 아닙니다. '원시적'이라는 용어에는 발전론적이고 목적론적인 시각이 깔려 있습니다. '소위 시초축적' 시기에 일어난 일들을, '완성된 자본주의' 시점에서 본 것이지요. 말하자면 '미발달한 자본주의', '미개한 자본주의'로 보는 것입니다.

여기에는 두 가지 문제가 있는데요. 첫째, 이 시기의 역사를 나중의 역사로 귀속할 우려가 있습니다. 이때의 일들을 오늘날의 자본주의에 이르기 '위해' 일어난 일들로 간주하는 것이지요. 곧이어 보겠습니다만, 마르크스는 이런 목적론적 역사관을 거부하며,[8] '자본 형성의 역사'와 '자본 현재의 역사'를 철저히 구분합니다. 둘째, '원시적'이라는 표현은 마치 이 시기의 일들이 오늘날 더는 일어나지 않는 것처럼 생각하게 합니다. 처음 자본관계를 만들어낸 '폭력'이 이전과는 다른 형태로 오늘날에도 재생산된다는 사실을 인식하지 못하게 하지요.

이 점에서는 '본원적 축적'이라는 번역어가 '원시적 축적'보다 낫습니다. 마르크스가 사용한 독일어 'Ursprung'은 기원, 원천, 유래, 발생, 시작 등을 의미하는 단어인데요. 여기에는 '미개하다'라는 뜻이 없습니다. 그리고 '본원'(本源)이라는 말에는 '원천'이나 '토대'의 의미가 담겨 있기에 마르크스가 다루는 축적 형태를 오늘날과 무관한 일로 보지 않게 해주는 장점도 있습니다.

이를테면 중국의 학자 원톄쥔(溫鐵軍)은 중국 같은 사회주의 국가도 공업화 단계에서 자본의 시초축적이 일어났다고 말합니다(그는 '원시적 축적'이라는 용어를 씁니다).[9] 중국 현대사에서 가장 좌편향이 심했다는 1950년대가 기묘하게도 정부가 시초축적을 위해 가장 노력한 시대였다는 겁니다. 물론 이것은 중국에만 해당하는 이야기가 아닙니다. 원톄쥔은 과거 소련이나 동유럽의 사회주의 국가들에서도 국가가 주도하는 자본의 시초축적이 있었고 이를 통해 산업자본의 토대가 구축되었다고 주장합니다(다만 그에 따르면 이들 국가는 중국과 달리 관료주의적 상부구조와 교조적 이데올로기 때문에 금융자본의 단계에 진입하는 데 실패했습니다).[10]

데이비드 하비(David Harvey)는 이런 유형의 축적이 오늘날 서구 국가들에서 일어나고 있다고 말하기도 합니다. 그는 신자유주의 시대의 자본축적을 '탈취에 의한 축적'(accumulation by dispossession)이라고 부르는데요. 자본축적이 부의 생산을 통해서가 아니라 부의 폭력적 탈취를 통해 이루어지고 있다는 뜻에서 한 말입니다. 그는 "마르크스가 자본주의 등장기에 '원시적'(primitive) 혹은 '본원적'(original)이라고 한 축적 관행"이 여전히 "지속하고 번성한다"라고 주장합니다.[11] 토지로부터 대규모 농민 축출, 공유재산 및 국유재산의 사유화(민영화), 종속적 지위에 있는 국가들로부터의 자원 약탈, 신용제도를 활용한 부의 탈취 등이 곳곳에서 일어나고 있다는 겁니다. 탈취의 범위도 과거보다 오늘날 더 넓습니다. 공유재산의 사유화만 놓고 보아도, 과거에는 이것이 주로 토지와 관련되었다면(공유지의 사유화) 이제는 물·원격통신·교통 등의 공공사업, 사회주택·교육·보건의료 등의 사회복지, 대학·연구실·감옥 등의 공공기관, 그리고 지적재산, 심지어 전쟁(전쟁기업)까지 그야말로 온갖 영역에서 이루어지고 있으니까요.[12] 이런 점을 고려하면 앞서 말한 것처럼 '본원적 축적'이 '원시적 축적'보다 좋은 용어입니다.

그런데 '본원'이라는 말을 쓸 때는 주의할 점이 있습니다. 이 말에는 '기원'이라는 뜻도 담겨 있는데요. 목적론자들이 기원에 부여하는 이미지 때문에 오해가 생겨날 수 있습니다. 목적론자들은 기원을 '씨앗'으로 간주하는 경향이 있습니다. 씨앗에 열매가 예정되어 있는 것처럼 시초축적기의 일들에는 현재의 자본주의 체제가 예정되어 있다고 보는 거죠. 앞서 짧게 말한 것처럼 이것은 마르크스가 이 시기를 바라보는 시각과 맞지 않습니다. 이 시기에 일어난 일들로 자본주의가 출현할 수 있었던 것은 맞습니다. 그러나 이 일들이 자본주의를 예정하고 있었다고 말할 수는 없습니다.

이런 목적론적 해석을 차단하기 위해 나는 '시초축적'이라는 말을 선호합니다('처음축적'이라고 해도 좋겠습니다). 영어나 프랑스어로 말하자면, '기원'보다는 '시작'의 의미가 담긴 'initial accumulation' 정도의 단어가 좋다고 봅니다.

앞서 나는 '원시적 축적'이라는 번역어가 시초축적기의 폭력이 이전과는 다른 형태로 오늘날에도 재생산된다는 사실을 인식하지 못하게 한다고 비판했는데요. 하지만 하비가 말한 '탈취에 의한 축적'이 마르크스가 여기서 말하고 싶어하는 '시초축적'이라고 보지는 않습니다. 하비가 말한 '탈취에 의한 축적'은 내용이나 형태상으로는 마르크스가 말한 시초축적과 같습니다. 그리고 오늘날에도 이런 폭력적 축적이 일어나는 게 사실입니다.

그러나 이것은 마르크스가 시초축적을 말한 취지와는 다릅니다.[13] 마르크스는 시초축적을 통해 자본주의적 생산양식의 토대가 갖추어지기 이전과 이후가 다르다는 것을 보여주려고 했습니다. 자본관계의 생산과 재생산은 다르다는 것을 보여주고 싶어했지요. 처음의 생산이 불법적 폭력을 통해 이루어졌다면 재생산은 시스템을 통해 합법적으로(그리고 자동적으로) 이루어집니다. 노동자가 노동력을 팔아야만 살 수 있는 비참한 상황이 인위적 폭력을 통해서가 아니라 시스템의 작동으로 보장되는 겁니다(『자본의 재생산』, 89쪽, 92쪽). 이렇게 말할 수 있을지도 모르겠습니다. 마르크스는 시초축적기의 폭력이 자본주의 생산양식의 토대가 갖추어진 뒤에는 시스템 안에 '기입'되어 새로운 형태로 '재생산'되고 있음을 말하고 싶어한다고요(『자본의 재생산』, 199쪽).

마르크스가 '시초축적'이라는 말을 쓴 것은 이런 맥락입니다. 그리고 이것이 『자본』 1권 제24장의 독특한 제목과도 부합한다고 봅니다. 제24장의 제목을 보면 마르크스가 '시초축적'이라는 말 앞에 '소위'(sogenannte)라는 수식어를 붙이고 있습니다. 앞으로 소개할 내용이 '사람들이 말하는' 바로 그런 의미의 '시초축적'이라는 것이지요. 사람들은 이렇게 물을 수 있을 겁니다. '도대체 자본주의는 처음에 어떻게 시작된 거지?' 나는 마르크스가 이런 물음에 답하기 위해 제24장을 썼다고 생각합니다. 자본(자본주의)의 '역사적 등장'에 대해 말하려고요. 그래서 제24장에는 시초축적과 관련된 사건의 시간을 한정하는 언급, 이를테면 "1470년경부터 1500년대 초의 수십 년 동안", "15세기 말부터 18세기까지" 같은 언급이 자주 나옵니다. 이런 이유로 나는 최소한 이 책의 범위에서는 '처음의' 축적이라는 의미에서 (시간적 의미를 담은) '시초축적'이라는 용어를 쓰는 게 낫다고 봅니다.

◦ 형성의 역사와 현재의 역사는 다르다

처음의 자본, 처음의 자본가는 어떻게 생겨났는가. 유치한 이야기는 집어치우고 진지하게 이야기를 해봅시다. 우리는 노동력이라는 특별한 상품이 없다면 자본이 불가능하다는 것을 알고 있습니다(『성부와 성자』, 120쪽). 화폐와 상품이 저절로 자본이 될 수는 없습니다. 화폐와 상품이 자본으로 변신하려면 화폐와 상품(생활수단과 생산수단)을 소유한 자산가가 노동력 판매자를 만나야 합니다. 다시 말해 노동력이 상품으로 시장에 나와야지요.

그런데 이를 위해서는 두 가지 조건이 필요하다고 했습니다. 하나는 노동자의 신분해방입니다. 즉 노동자가 자기 노동력을 시장에서 자유롭게 거래할 수 있는 존재가 되어야 합니다. 다른 하나는 노동자의 빈곤입니다. 즉 노동자가 생활수단과 생산수단을 상실해, 노동력을 팔지 않고서는 살길이 없어야지요.

요컨대 생활수단과 생산수단을 잃은 노동자들이 그것을 쥐고 있는 자본가에게 몸뚱이를 팔아야 하는 상황이 만들어져야 자본이라는 것이 가능합니다. 이 전제가 충족되고, "자본주의적 생산이 일단 자신의 발로 서게 되면", 자본주의는 이 전제를 유지할 뿐 아니라 "지속적으로 확대재생산"합니다. [김, 979; 강, 963]

여기서 마르크스는 두 가지를 구분합니다. 바로 '전사'(Vorgeschichte, prehistory)와 '역사'(Geschichte, history)입니다. 자본주의의 전제가 만들어지는 것, 자본주의 생산양식의 토대가 형성되는 것과, 그 전제가 충족된 후, 그러니까 생산양식의 토대가 구축된 후를 구분하는 거죠. 이 책에서 다루는 시초축적은 자본주의의 '역사'가 아니라 '전사'에 해당합니다.[김, 979; 강, 963]

『정치경제학 비판 요강』에서는 이 둘을 각각 '현재의(kontemporären) 역사'와 '형성(Bildung)의 역사'로 불렀습니다.[14] 다음과 같은 지질학적 비유를 쓰기도 했지요. "지구가 유동의 불바다와 증기 바다에서 현재의 형태로 이행한 과정들이 완성된 지구로서의 그것의 생활 저편에 놓여 있듯이 (…) 자본의 생성을 표현하는 조건들은 자본을 전제하는 생산양식의 영역에 속하지 않고, 자본 생성의 역사적 전(前) 단계들로서 그것의 이면에 놓여 있다."[15]

목적론적이고 연속적인 역사주의의 관점에 선 사람들은 전사와 역사를 구분하지 않습니다. 이들은 전사를 역사의 일부, 기껏해야 현재를 향한 인류 역사의 여정에 출현한 굴곡 내지 급경사 정도로 취급하지요. 그러나 마르크스는 그렇게 하지 않습니다. 고대, 중세, 자본주의로 이어지는 길은 연속적이지 않습니다. 고대에 중세가 예비되어 있고 중세에 자본주의가 예비되어 있는 게 아니라는 말입니다. 비유하자면 역사적 지층들 사이에는 까만 층이 하나씩 들어 있습니다. 용암과 증기의 시간, 해체의 시간이 개입되어 있지요. 과거의 지층들에는 역사만이 아니라 전사도 함께 들어 있다고 할 수 있습니다.

이 점에서 마르크스의 다음 문장은 아주 중요해요. 잘 해석해야 합니다. "자본주의 사회의 경제적 구조는 봉건사회의 경제적 구조에서 생겨났다. 후자의 해체가 전자의 요소들을 해방시켰던 것이다."[김, 979; 강, 963] 자본주의는 봉건사회에서 '생겨났다'(hervorgegangen)라고 말합니다. 그런데 순서가 중요합니다. 마르크스는 자본주의적 요소가 봉건사회를 해체했다고 말하지 않고, 봉건사회의 '해체'(Auflösung)가 자본주의적 요소를 '해방시켰다'(freigesetzt)라고 했습니다. 말하자면 화폐 및 상품의 축적과 자유로운 노동자들의 출현이 봉건주의를 해체했다고 하지 않고, 봉건주의 해체가 이런 요소들의 출현을 가능케 했다고 한 거죠. 이 순서를 바꾸면 목적론이 됩니다.

다음 단락을 보면 마르크스의 생각이 어떤 것인지 잘 알 수 있습니다. 마르크스는 "직접적 생산자 즉 노동자"는 "토지에 묶이고 다른 사람의 농노가 되거나 다른 사람에게 예속되는 것"이 '끝난 후에'(nachdem), 그러니까 자신을 노예나 농노로 만든 체제가 해체된 후에 비로소 "자신의 인격을 자유롭게 팔아치울 수" 있다고 했습니다.[김, 979; 강, 963] 길드에 속한 도제와 직인들의 경우도 마찬가지입니다. "자유로운 노동력의 판매자가 되기 위해서는 [먼저] 길드들(Zünfte)의 지배, 즉 도제와 직인들에 대한 규칙들 그리고 [노동력의 자유로운 판매를] 막는 노동 규정들에서 풀려나야" 합니다.[김, 979~980; 강, 963]

이런 일이 가능하려면 자본가들이 봉건 영주들을 물리치고 길드의 수공업자들을 물리쳐야 합니다. 그러나 마르크스에 따르면 이것은 자본가들이 만들어낸 일이 아닙니다. 그들은 이 사건들을 기획하지도 않습니다. 다만 일어난 사건들을 이용했을 뿐입니다. "산업의 기사들(Ritter)은 자신들이 전혀 관여하지 않은 사건들을 이용함으로써 칼을 찬 기사들을 몰아낼 수 있었다."[김, 980; 강, 964] 즉 '칼을 찬 기사'인 낡은 세력을 몰락게 한 사건들 자체는 '산업의 기사'인 자본가가 만들어낸 게 아니라는 뜻입니다.

이제부터 이 일들이 어떤 식으로 일어났는지 그리고 자본가들이 이 일들을 어떻게 이용했는지를 살펴보겠습니다. 무엇보다 자본의 탄생에 필요 불가결한 상품인 노동력이 어떻게 출현했는지를 보겠습니다. 부르주아 역사가들은 노동자들이 농노적 예속이나 길드적 예속에서 벗어나 자유롭게 자기 노동력을 판매할 수 있게 되었다는 점만 강조하는데요. 마르크스는 이 자유의 이면, 즉 어떻게 해서 다수의 사람이 노동력 판매 외에는 살길이 없는 상황에 처하게 되는지를 보여주겠다고 말합니다. 그리고 이 일이 얼마나 끔찍했는지, 즉 우리가 지금부터 읽어나갈 이야기가 얼마나 참혹한 것인지를 이렇게 예고하고 있습니다. "이러한 수탈의 역사는 피와 불의 문자들로 인류의 연대기에 기록되어 있다."[김, 980; 강, 964]

2

노동자의 탄생 ①

공유지 약탈과 인간 청소

봉건제 해체와 더불어 '인간대중'이
출현했지만 그들의 운명은
아직 결정되어 있지 않았습니다.
신분제에서 풀려난 사람들이
모두 노동자가 되어야 하는 건 아니니까요.
신분해방 자체에는
노동력 판매라는 뜻이 담겨 있지 않습니다.
땅의 속박, 영주에 대한 예속에서
풀려난 사람이 꼭 노동시장을 향해,
자본가에 대한 예속을 향해
걸어가야 할 이유는 없습니다.
그런데 15세기 말에서 16세기 초 갑자기
영주들이 울타리를 두르고 농민들을 몰아냈습니다.
농민을 토지에서 폭력적으로 내쫓고
농민의 공유지를 강탈해버렸습니다.

피터르 브뤼헐, 〈농민들의 춤〉, 1568.
공유지에 둘러진 울타리와 함께 공동체의 유대도 깨졌다.
무질서를 막는다는 명목으로 프롤레타리아트의 모임과 잔치놀이도 모두 금지되었다.
토지에 대한 인클로저만 있었던 게 아니라 노동인구의 재생산과 관련된 모든 활동,
온갖 사회적·문화적·종교적 활동에서도 공동의 영역을 사적 영역으로 가두는
"사회적 인클로저"가 있었던 것이다.

이제 우리는 임금노동자와 자본가가 탄생하는 시점으로 갑니다. 그런데 마르크스에 따르면 자본의 창세기는 아주 오래된 게 아닙니다. "자본주의적 생산의 처음 출발은 지중해 연안의 몇몇 도시에서 14~15세기에 산발적으로 나타났지만, 자본주의 시대가 본격적으로 시작된 것은 16세기 이후"입니다. 이때 여러 사건이 있었습니다만, "시초축적의 역사에서 역사적으로 획기적인(epochemachend) 사건은 (…) 대량의 인간대중이 갑자기 폭력적으로 생존수단을 잃고 포겔프라이 프롤레타리아로서 노동시장에 내던져진 것"입니다.[김, 981; 강, 964~965]

◦ 포겔프라이—새처럼 자유롭게

마르크스가 이 사건, 즉 대다수 인구의 '프롤레타리아화'를 자본주의를 가능케 한 결정적 사건으로 본 것은 충분히 납득할 수 있습니다. 세상에서 수많은 상품이 거래된다 해도 만약 노동력이라는 상품 하나가 없다면 자본은 불가능하니까요(『성부와 성자』, 120쪽).

그런데 마르크스가 프롤레타리아를 꾸미는 말로 쓴 단어에 눈길이 갑니다. 바로 '포겔프라이'(vogelfrei)인데요. 마르크스는 시초축적을 다루면서 이 단어를 여러 차례 사용합니다. '포겔프라이'와 '프롤레타리아'가 한 단어처럼 붙어 다닙니다. '프롤레타리아'라는 말은 우리 시리즈의 지난 책들에도 몇 차례 등장했지만 '포겔프라이'라는 말과 함께 쓰이지는 않았습니다. 그러니까 '포겔프라이 프롤레타리아'는 시초축적기의 프롤레타리아, 이렇게 말해도 좋다면, 자본주의 프롤레타리아의 선행적(혹은 원형적) 형태라고 볼 수 있습니다.

참고로 『자본』의 우리말 번역본에서는 '포겔프라이'를 "무일푼의 자유롭고 의지할 곳 없는"[김, 981] 혹은 "보호받을 길 없는" [강, 965] 등으로 옮겼습니다. 뜻을 최대한 풀어서 쓴 거죠. 하지만 이렇게 하면 이 말이 하나의 개념처럼 와 닿지가 않습니다. 그래서 나는 '포겔프라이 프롤레타리아'를 일단 원어 그대로 쓰고자 합니다.

본래 '포겔프라이'라는 말은 새(Vogel)처럼 자유롭다(frei)는 뜻입니다. 어디에도 묶여 있지 않다는 뜻이지요. 하지만 시초축적기에 즈음하여 '아무런 법적 보호도 받을 수 없는', '아무런 권리도 없는'이라는 부정적 의미가 생겨났습니다. 사람을 처형한 후 '새들의 먹이로 내던지는'(den Vögeln zum Fraß freigegeben) 경우가 있었는데요. 이 표현에서 포겔프라이의 새로운 의미가 덧붙여진 것 같습니다.[16] 그래서 공동체로부터 아무런 보호도 받을 수 없는 존재, 법적 권리가 없어 무차별 폭력에 노출된 존재를 가리킬 때도 이 말을 썼습니다.

마르크스도 주석에서 이 단어가 법적 권리와 연관된 것임을 내비치고 있습니다.[김, 981, 각주 1; 강, 965, 각주 189] 농노제는 지중해 연안 이탈리아 도시들에서 가장 먼저 철폐되었는데요. 이때 해방된 농노들은 "토지에 대한 어떠한 시효권(Recht der Verjährung)도 보장받지 못한" 상태였습니다. 농노

해방이 권리 보장 없이 이루어진 것이지요. 봉건제 아래에서 농민은 공납과 부역의 의무를 지는 경우에 한해 자신들의 보유지(tenure)에 대한 관습적 권리를 가졌는데요. 이 권리는 법적 보호도 받았고 세습도 가능했습니다. 그런데 봉건제 해체와 더불어 이런 권리가 사라졌습니다.

'포겔프라이'는 이처럼 해방이 상실로 나타난 것 혹은 상실의 형태로 해방이 이루어진 것을 표현하기 위한 단어입니다. 마르크스는 이전에 노동력이라는 상품이 출현하기 위한 전제조건으로서 '이중의 자유'에 대해 말한 바 있는데요(『성부와 성자』, 120~124쪽). '포겔프라이'라는 말에서 우리는 이 말의 의미를 다시 확인하는 셈입니다.

'포겔프라이'는 예속에서 벗어난 존재(새처럼 자유롭게 나는 존재)와 보호받지 못하는 존재(새 먹이로 내던져진 존재) 모두를 의미합니다. 속박에서 벗어난 인간은 발가벗겨진 인간이기도 합니다. 인격을 부인당한 노예나 농노의 처지에서 벗어났으니 이제 온전한 인격을 가진 인간이 출현해야 할 것 같은데요. 실상은 그렇지 않습니다. 오히려 아무런 권리도 없이, 아무런 보장도 없이 오로지 인간이라는 사실 하나만 남은 인간이 등장하지요. 이때의 인간이 가장 위험한 처지의 인간입니다. 인간으로서의 생존이 가장 위태로운 순간이지요.

이는 시대적 조건은 완전히 다르지만 한나 아렌트(Hannah Arendt)가 20세기 초 '국가 없는 사람들'(the stateless)한테서 본 것과 비슷한 면이 있습니다. 아렌트는 근대적 인권 개념에 담긴 역설을 지적했는데요. 근대적 인권 개념에 따르면, 인간은 국가의 법질서와 상관없이 천부적 권리로서 인권을 갖습니다. 인권은 양도할 수 없는 자연권입니다. 그런데 현실은 그렇지 않습니다. 어떤 인간이 단지 인간으로만 살고 있다면, 다시 말해 어떤 국가나 공동체의 일원이 아닌 그야말로 '그냥' 인간으로서만 살고 있다면, 그는 인간으로 살아가기가 어렵습니다. 인간이 인간답게 살기 위해서는 국가나 공동체가 보장한 권리들을 필요로 하기 때문입니다. 따라서 우리가 인권을 가장 선명하게 포착할 수 있을 것 같은 상황이 실제로는 아무런 인권도 찾아볼 수 없는 상황이 되는 겁니다. "인권의 상실에 함축된 역설은, 한 사람이 일반적인 인간이 되는 순간 (…) 그런 상실이 일어난다는 것이다."[17] 인간으로서 본질적 자질이나 존엄을 갖고 있음에도 '인간의 권리'(Rights of Man)를 완전히 상실하는 거죠.[18]

◦ 인간대중에서 인간재료로

마르크스에 따르면 역사가 바뀌는 사건의 중심에 '포겔프라이 프롤레타리아'가 있는 셈인데요. 무슨 일이 일어난 건지 문장을 다시 뜯어볼까요. "시초축적의 역사에서 역사적으로 획기적인 사건은 (…) 대량의 인간대중이 갑자기 폭력적으로 생존수단을 잃고 포겔프라이 프롤레타리아로서 노동시장에 내던져진 것이다."

두 단어가 '포겔프라이 프롤레타리아'를 사이에 두고 포진해 있습니다. 바로 '인간대중'과 '노동시장'입니다. '인간대중'이라고 옮긴 말은 'Menschenmassen'인데요. 'Masse'는 인간에 국한해서 쓰는 말이 아닙니다. 동물에도 쓸 수 있고 사물에도 쓸 수 있지요. '무리'를 질적 구분 없이 '양'으로만 지칭할 때 이 말을 붙입니다. 원래는 밀가루 반죽 같은 것을 부르는 말이었다는데요. 무언가로 주조되기 전의 무정형 덩어리를 가리킵니다.[19] 그러니까 '인간대중'이란 무엇이 될지 모르는 인간덩어리 내지 인간반죽인 겁니다.

마르크스는 앞서 제23장에서도 '인간대중'이라는 표현을 두 번 썼습니다.[김, 862, 962; 강, 860, 951] 두 곳 모두 산업예비군에 대해 말하는 부분입니다. 그는 산업예비군을 저수지의 물처럼 그립니다. 자본가는 도관과 밸브를 통해 언제든 필요한 영역에 필요한 만큼 많은 사람을 동원할 수 있지요. 그런데 제23장의 '인간대중'이라는 말 곁에는 '인간재료'(Menschenmaterial)라는 말이 놓여 있습니다. 그리고 '인간재료'에는 '항상 이용할 수 있도록 준비된'이라는 수식어가 붙어 있지요.[김, 862; 강, 860] 산업예비군은 자본관계 내부에 들어가지 않은 존재라는 점에서 '아직' 어디서 어떤 일을 할지 모르는 존재이지만, 그럼에도 자본주의적 생산양식이 확고하게 자리한 곳에서 운명은 '이미' 정해져 있다고 할 수 있습니다. 제23장의 '인간대중'이 '인간재료'와 나란히 있는 것은 그 때문일 겁니다. '대중'이라는 말에는 어떤 미결정성이 들어 있지만 '재료'가 되면, 설령 아직 사용되고 있지 않다고 하더라도 음식의 재료처럼 그 운명이 정해져 있다고 볼 수 있으니까요. 제23장의 '인간대중'은 사실상 '인간재료'입니다.

하지만 제24장의 '인간대중'은 다릅니다. 아직 자본주의적 생산양식의 토대가 구축된 때가 아닙니다. 봉건제 해체와 더불어 출현한 '인간대중'의 운명은 아직 결정되어 있지 않습니다. 신분제에서 풀려난 다수의 인간이 모두 노동자가 되어야 하는 것은 아닙니다. 신분해방 자체에는 노동력 판매라는 뜻이 담겨 있지 않습니다. 땅의 속박, 영주에 대한 예속에서 풀려난 사람이 노동시장을 향해, 자본가에 대한 예속을 향해 걸어가야 할 내적 이유는 없습니다.

이 점이 중요합니다. 내적 이유가 없다는 것 말입니다. 나는 마르크스가 앞서의 문장에서 언급한 인간의 두 상태를 구분해야 한다고 생각합니다. 인간대중인 상태와 노동시장에 던져진 상태, 즉 '대중으로서의 인간'과 '상품으로서의 인간(노동력 판매자)' 말입니다. 이것을 두 가지 사건이라고 해도 좋습니다. 많은 사람이 땅에서 쫓겨나 인간대중으로서 쏟아져 나온 사건과, 이 인간대중이 노동시장으로 내몰린 사건은 다른 사건입니다.

방금 말한 것처럼 전자가 후자로 이어져야 할 내적 이유가 없습니다. 따라서 모든 것이 따로 해명되어야 합니다. 어떻게 인간대중이 생겨났는지, 이 인간대중이 어떻게 노동시장으로 옮겨졌는지, 그리고 나중에는 이 일이 어떻게 자동으로 재생산되는지 말이지요. 세 번째 사항, 즉 시스템에 의한 노동력의 재생산은 시리즈의 지난 책들(10권과 11권)에서 다루었습니다. 이번 책에서 다룰 것은 앞의 두 가지입니다.

후각이 예민한 독자라면 시초축적기에 '인간대중'과 '노동시장' 사이에 내적 인과관계가 성립하지 않는다는 말에서 벌써 폭력의 냄새를 맡을 수도 있을 겁니다. 내적 인과관계가 없다는 것은 외적 강제 내지 폭력이 개입한다는 암시이니까요. 노동시장으로 가는 길이 자연스러운 물길 같은 게 아니라면 분명 노동시장으로 인간대중을 밀어내는 강제 펌프와 다른 곳으로 새나가지 못하도록 만든 강철 도관이 있었겠지요. 이제 그것들을 볼 차례입니다.

◦ 중세의 장원에는 울타리가 없었다

마르크스에 따르면 "자본주의적 생산양식의 기초를 만들어낸 변혁의 서막은 1470년경부터 1500년대 초의 수십 년 동안" 일어났습니다.[김, 984; 강, 967] 앞서 말한 것처럼 대량의 인간대중이 노동시장에 내던져진 일이 일어난 것인데요. 이 사건의 배경에는 '농민들로부터의 토지 수탈'이 있습니다. 다수의 농민이 토지를 잃고 '포겔프라이 프롤레타리아'로 전락한 거죠. 나라마다 시기와 양상은 다르지만 곳곳에서 이런 일이 일어났습니다. 마르크스는 영국의 사례를 분석합니다. 그에 따르면 영국의 사례는 이 일이 어떻게 일어났는지를 보여주는 '고전적 형태'(klassische Form)입니다.[김, 981; 강, 965]

이 시기에 일어난 일을 상징하는 이름이 있는데요. '인클로저'(enclosure)입니다. '인클로저'란 '울타리를 두른다'라는 뜻인데요. 울타리 하나 두르는 것이 무슨 큰일일까 싶지만 그렇지 않습니다. 이 울타리는 중세 농촌의 사회형태가 해체되었다는 징표이기 때문입니다.

영국을 포함해 중세 서구의 경작지들에는 애초 울타리가 없었습니다. 경작지들은 기본적으로 '개방경지'(open-field)였습니다. 그럴 만한 이유가 있습니다. 중세의 장원(manor)은 영주의 직영지와 농민들의 보유지로 구성되었는데요. 농민들은 영주에게 공납과 부역의 의무를 지는 대가로 경작지를 배분받습니다. 농민들은 보유지의 소출 일부를 세금으로 내야 하고 영주의 직영지에서 농사짓는 부역도 떠맡아야 합니다. 영주의 직영지와 농민의 보유지는 구획되어 가지런히 배열되어 있기 때문에 울타리로 경계를 표시할 필요가 없습니다. 또 윤작을 하기 때문에 해마다 경작지가 바뀌는 문제도 있습니다. 집단 방목장 등 공동으로 혹은 집단으로 땅을 이용해야 할 때도 있고요. 이런 상황에서 울타리는 그저 방해만 되겠지요.

그런데 갑자기 울타리가 둘러진 겁니다. 배타적 사유재산권을 행사하겠다는 뜻이지요. 이는 영주직영지와 농민보유지를 골격으로 하는 중세 농촌의 시스템이 더는 작동하지 않는다는 걸 의미합니다.[20] 이것이 얼마나 충격적인 일인지, 다시 말해 영주가 영지에 울타리를 두르고 개인 자산가처럼 행동하는 것이 얼마나 충격적인 일인지 알려면 중세의 장원제를 이해할 필요가 있습니다.

영주가 장원 전체의 소유주인 것은 맞습니다. 모든 경작지는 직간접적으로 영주의 것입니다. 하지만 이 소유권은 근대의 사적 소유권은 물론이고 고대 로마의 사적 소유권과도 다릅니다. 마르크 블로크(Marc Bloch)에 따르면 중세의 토지소유권은 '다단계'로 맞물려 있습니다.[21] 농민은 영주로부터 분배받은 토지에 대해 보유권을 갖는데요. 공납과 부역의 의무를 지는 대가로 받은 것입니다. 그런데 영주는 그 땅을 더 상위의 영주, 이를테면 제후에게 군사적 봉사와 기타 의무를 이행하는 조건으로 받습니다. 그리고 제후는 왕에게 마찬가지 방식으로 그 땅에 대한 권리를 인정받습니다.

이처럼 중세의 토지소유권은 누군가에게 배타적으로 귀속되지 않고 하위 권리와 상위 권리들이 서로 맞물리는 형태로 이루어졌습니다. 그리고 이 권리들은 각각의 층위에서 일정한 효력을 갖기 때문에 중간의 누군가가 제멋대로 처분할 수 없습니다. 근대적 소유권의 관점에서 본다면 "아무도 토지 소유자가 아니"라고 말할 수도 있지요.[22]

따라서 영주는 영지를 소유한 사람이지만 그것을 사유재산으로 소유한 사람이라고는 볼 수 없습니다. 그는 땅을 소유한 자산가라기보다 땅에 대한 통치자라고 할 수 있습니다. 영지에서 경제적 수익을 얻지만 동시에 그 땅에 부속된 인간들을 통치하는 사람입니다. 장원제는 경제적 시스템이기만 한 것이 아니라 통치 시스템이기도 한 것이지요.[23] 영주의 소유권은 이런 맥락에서 이해해야 합니다. 예전 왕들은 '짐의 땅',

'짐의 백성'이라는 말을 했는데요. 이는 왕이 땅과 백성을 사유재산으로 소유했다는 뜻이 아닙니다. 오히려 반대지요. 모든 것이 왕에게 속한다는 것은 기본적으로 사유재산제를 인정하지 않는다는 뜻입니다.

영지의 소유에도 비슷한 면이 있습니다. 영주는 오늘날의 토지 임대업자와는 다릅니다. 물론 농민들은 보유지에서 나온 소출의 일부를 땅의 주인인 영주에게 지불해야 합니다. 내용으로는 오늘날 임대료를 내는 것과 다를 바 없습니다. 하지만 형태가 다릅니다. 영주는 그것을 세금으로 받습니다. 공납과 부역의 형태로 징수하지요. 세금만 징수하는 게 아니고 재판도 합니다. 통치자니까요. 따라서 영주와 농민의 관계를 임대인과 임차인의 사적 관계로 이해해서는 안 됩니다. 장원의 소유관계는 단순한 소유권을 넘어 '기본적 사회형태'라 할 수 있지요.[24]

영주의 소유권이 근대적 의미의 사유재산권과 다르다고 했는데요. 마찬가지로 땅에 대한 소유권을 갖지 못한 농민들 역시 근대적 의미의 무산자는 아닙니다. 영주가 땅에 대해 전적인 처분권을 갖지 않았다는 것은 농민들에게도 일정한 권리가 있었다는 뜻입니다.

영주는 농민들의 토지보유권을 존중해야 했습니다. 일단 현실적 이유에서 그랬습니다. 영주가 넓은 직영지를 경영하려면 노동력이 필요합니다. 달리 말하면 부역에 동원할 농민이 많아야 합니다. 농민보유지는 영주가 부역에 종사할 농민들을 확보하기 위한 조건입니다. 농노처럼 아예 인신 자체가 특정 영주에게 혈통적으로 예속되기도 하지만 영주를 선택할 수 있는(자신이 보호를 의탁할 영주를 선택할 수 있는) 자유농민들도 있었는데요. 영주가 이들 농민을 자기 세력 안에 두려면 이들 땅의 보유권을 인정해야 합니다. 그리고 중세에는 '관습'의 힘이 상당히 강했습니다. "성문화되었든 안 되었든 간에 장원의 관습은 예속민들뿐만 아니라 영주에게도 완전한 구속력이 있는 것으로" 간주되었습니다. 제아무리 영주라 해도 관습을 무시하고 농민들의 땅을 빼앗을 수는 없었습니다.[25]

14세기 말 영국 장원 농민의 3분의 2가량은 '등본보유지'(copyhold)를 보유하고 있었다고 합니다.[26] 등본보유지는 농민이 장원재판소의 토지대장에 올린 보유지로 재판소의 허락하에 상속하고 매매할 수 있는 땅입니다. 공납과 부역의 부담이 상대적으로 컸습니다. 장원재판소에서 허락을 받기 때문에 영주의 입김이 작용할 여지도 컸지요. 하지만 관습적으로 삼대의 세습이 보장되었고 보유권 매매도 이루어졌습니다. 일부 등본보유지에 대해서는 영주들이 보유 조건을 마음대로 정했지만 상당수 등본보유지는 소작료와 양도세가 정해져 있었고 보유권이 법적 보호를 받았습니다.[27]

'자유보유지'(freehold)의 경우에는 농민들의 권한이 훨씬 컸습니다. 영주에 대해 공납과 부역의 의무를 지고 있었지만 부담이 상대적으로 덜했고 세습과 매매가 자유로웠습니다. 이런 자유보유지에 대해서는 영주도 함부로 개입할 수 없었습니다. 보유권 보장이 장원재판소가 아닌 국왕재판소를 통해 이루어졌으니까요. 마르크스가 인용한 자료에 따르면 14세기 말 잉글랜드에서는 16만 명 이상이 이런 '자유보유지'를 가졌습니다. 가족들 수까지 고려하면 전체 인구의 무려 7분의 1에 해당합니다.[김, 982, 각주 1; 강, 965, 각주 190]

마르크스가 14세기 말과 15세기에 잉글랜드 농민 대다수가 "비록 봉건적 외관 아래 소유권이 은폐되어 있었지만 (…) 자영농민이었다"라고 말한 것은 이런 맥락입니다.[김, 982; 강, 965] 봉건제 아래서 소유권은 형식적으로 영주에게 있지만 경작지에 대한 실질적 권한을 농민들이 행사했다는 이야기입니다.

그런데 15세기 말에서 16세기 초에 갑자기 영주들이 울타리를 두르고 농민들을 몰아냈습니다. 영지를 사유재산으로 선포한 거죠. "토지에 대해 자신과 똑같은 봉건적 권리를 갖고 있던 농민을 토지에서 폭력적으로 내쫓고 농민의 공유지를 강탈"해버렸습니다.[김, 984; 강, 967] 봉건제적 관점에서는 도저히 있을 수 없는 일이 일어난 겁니다.

◦ 인간을 잡아먹는 양이 나타났다

인클로저가 봉건제 해체를 상징한다는 것은 이런 의미입니다. 봉건영주가 개인 자산가로 돌변했고, 농민들은 아무런 권리도 없는 무산자로 땅에서 추방되었습니다. 중세의 봉건질서가 무너졌다고 할 수 있습니다. 이 일은 어떻게 일어났는가.

마르크스에 따르면 왕이 절대권력을 추구하면서(절대주의 군주) 봉건가신단(封建家臣團)을 해체한 것이 하나의 원인입니다. 봉건가신단의 해체는 왕과 제후, 영주, 농노로 이루어진 봉건질서의 해체를 의미하니까요. 그러나 이것만이 "해체의 유일한 원인은 아"닙니다. 힘이 센 봉건영주들이 왕권에 저항하면서 자기 땅에 대한 배타적 권력을 행사하기 시작한 것도 중요한 이유였습니다.[김, 984; 강, 967]

그렇다면 왜 영주들이 돌변했는가. 마르크스는 봉건귀족 자체의 구성이 바뀌었음을 지적합니다. "옛 봉건귀족은 대규모 봉건전쟁으로 몰락해버렸고, 새로운 귀족이 돈이 모든 권력들 중의 권력이 된 시대의 자식이 되었다."[김, 984; 강, 967] 영국의 경우 '백년전쟁'과 '장미전쟁'으로 귀족들이 큰 타격을 받았습니다. 특히 장미전쟁의 영향이 컸습니다. 왕위를 차지하기 위한 이 전쟁에는 영국의 50여 개 큰 가문이 참여했는데요. 1455년에서 1485년까지 30년간의 전쟁으로 다수 귀족이 피살되고 가문들이 몰락했습니다. 게다가 남은 귀족들마저 경제적 변화, 특히 물가 상승에 대처하지를 못했습니다. 소작료는 관습적으로 고정되어 있었는데 물가가 많이 올라 경제적 타격을 입었지요.

상인 부르주아들이 이 빈틈을 파고들었습니다. 돈의 힘을 이용해 신분을 끌어올렸고 땅을 사들였지요.[28] 16세기 문헌들에는 상인들의 토지 구입을 우려하거나 비난하는 목소리가 많이 나온다고 합니다.[29] 그런 일이 그만큼 많았다는 이야기죠. 상인들이 땅을 샀다는 것은 단순히 그들이 봉건귀족이나 영주의 자리를 채웠다는 뜻이 아닙니다. 땅의 의미 자체가 달라지는 거죠. 땅은 더 이상 영주와 농민의 공동체가 아닙니다. 땅은 상품의 생산수단이 되었고, 무엇보다 사유재산이 되었지요.

이 변화는 부르주아지 쪽에서만 일어나지 않았습니다. 부르주아지가 귀족으로 변신하는 만큼 귀족 역시 부르주아지로 변신했지요. 귀족 역시 상업적 부르주아지의 행태를 보입니다. 경작지에서 상업 작물을 재배하고 양모를 팔기 위해 경작지를 목초지로 바꾼 겁니다. 그래서 어느 때부턴가 "부르주아지와 귀족 사이에 구분선을 긋는 것 자체가 어렵"게 되었습니다(『성부와 성자』, 38쪽).

영국의 경우 토지의 상업적 전환에 직접적 동기를 부여한 것은 "플랑드르 지역의 양모 매뉴팩처의 번성과 그에 따른 양모 가격의 상승"이었습니다. '새로운 귀족들'은 돈을 벌기 위해 너도나도 경작지를 목초지로 전환했습니다. 거침이 없었죠. 마르크스가 인용한 당시의 저자는 이들의 태도를 이렇게 표현하고 있습니다. "우리의 대약탈자들이 꺼릴 게 무엇이 있겠는가!"(What care our great incroachers!)[김, 984; 강, 967]

변화의 속도와 규모가 너무 컸습니다. 마르크스의 표현을 빌리자면 "어떤 과도기도 없"었습니다.[김, 985; 강, 968] 15세기와 16세기 사이의 격변을 보여주기 위해 마르크스는 두 저작을 대비시키는데요. 하나는 1470년경에 집필한 존 포테스큐(John Fortescue)의 『영국법에 대한 찬미』*De laudibus legum Angliae*이고 다른 한 저작은 1516년에 출간된 토머스 모어(Thomas More)의 『유토피아』입니다. 이 두 저작은 불과 반세기 만에 영국 농촌의 풍경이 얼마나 바뀌었는지를 보여줍니다.

존 포테스큐는 헨리 6세의 지지자였는데요. 장미전쟁 중에 헨리 6세가 폐위되자 왕족들과 함께 프랑스로 망명했습니다. 이때 쓴 책이 『영국법에 대한 찬미』입니다. 그는 프랑스에서 농민들의 비참한 모습을 보았습니다. 당시 프랑스 농민들은 모직물은 고사하고 베로 만든 옷도 제대로 입지 못했고 여성들은 맨발로 다녔으며, 전체적으로 극심한 영양실조 상태에 있었습니다.[30] 영국 농민들의 처지는 이보다 나았습니다. 영국 농민들은 상대적으로 넓은 땅을 경작하고 있었던 겁니다. 마르크스는 당시 영국의 봉건체제는 '인민의 부'(Volksreichtum)는 허용했지만 '자본의 부'(Kapitalreichtum)는 아직 허락하지 않았다고 했습니다.[김, 983; 강, 966] '자본의 부', 스미스의 용어로 말하자면 '국민의 부'(Wealth of the Nation)를 허락하지 않았기에[김, 985; 강, 968] 인민의 풍요, 인민의 부가 가능했다는 거죠.

그런데 불과 반세기 후 토머스 모어가 『유토피아』에서 그린 영국은 완전히 다릅니다. 거기에서는 민란과 도둑질이 끊이질 않습니다. 모어는 책의 화자인 라파엘의 입을 빌려 영국 농촌이 이렇게 변모한 이유 중 하나로 '인클로저'를 꼽습니다. "양들은 언제나 온순하게 적게 먹는 동물이었습니다. 그런데 이제는 양들이 너무나도 욕심 많고 난폭해져서 사람들까지 잡아먹는다고 들었습니다. 양들은 논과 집, 마을까지 황폐화해버립니다. 아주 부드럽고 비싼 양모를 얻을 수 있는 곳이라면 어디서든지, 대귀족과 하급귀족, 심지어는 성무를 맡아야 하는 성직자들까지 옛날에 조상들이 받던 지대에 만족하지 않게 되었습니다. 그들은 이 사회에 아무런 좋은 일도 하지 않고 나태와 사치 속에서 사는 것만으로도 부족하다는 듯이 이제는 더 적극적인 악행을 저지릅니다. 모든 땅을 자유롭게 경작하도록 내버려두지 않고 목축을 위해 울타리를 쳐서 막습니다."[31]

급작스레 쏟아져 나온 빈민들에 영국 의회는 무척 당황했습니다. 마르크스에 따르면 당시 의회는 '자본의 형성' 즉 '국민의 부'를 지상의 과제로 인식하는 그런 문명 수준에 이르지 않았으니까요.[김, 985; 강, 968] 이때까지는 귀족도, 의회도 농민들을 '포겔프라이 프롤레타리아'로 만드는 것이 자본주의의 토대 구축을 위해 필요한 일이라고 생각하지 못했습니다. 단지 양을 키워야 돈이 된다는 생각만 했던 겁니다. 토지에서 추방된 농민들이 도시로 가서 노동자가 되는지 마는지 '난, 몰라!'입니다. 국왕과 의회도 마찬가지입니다. 인클로저를 가속화하면 빈민들이 양산되고, 이들이 '자본' 형성에 필요한 노동력을 제공하리라는 생각을 하지 않았습니다. 오히려 어떻게든 사태를 진정시키려 했지요.

당시 왕인 헨리 7세(재위 1485~1509)는 일정 규모 이상의 토지에서 농민들의 가옥을 파괴하는 것을 금지했습니다. 또 헨리 8세(재위 1509~1547)는 파괴된 농장을 재건하라고 명령했으며 경작지와 목초지의 비율을 법률로 규정했습니다.[김, 986; 강, 969] 그 이후의 왕들도 마찬가지였습니다. 농민들이 거주할 주택과 최소 경작지를 보장하는 입법들을 했습니다. 마르크스에 따르면 "18세기 전반에 이르러서도 농촌 노동자의 오두막집에 1~2에이커의 부속지가 없는 경우에는 고발" 되었습니다.[김, 987; 강, 970]

철학자 프랜시스 베이컨(Francis Bacon)은 『헨리 7세 통치사』(1622)에서 인클로저의 폐해를 나열한 후 "당시의 왕과 의회가 경탄할 만큼 현명하게 이런 폐해에 대응"했다고 평가했습니다.[김, 985; 강, 968, 재인용] 그러나 헨리 7세의 현명한 조치들은 물론이고 그 이후 "150년간 계속된 입법들도 모두" 인클로저를 저지하는 데 실패했습니다.[김, 986; 강, 969]

왜일까요. 마르크스는 베이컨의 또 다른 책에서 그 비밀을 찾을 수 있다고 말합니다. 『수상록』(1625)에서 베이컨은 자신이 헨리 7세의 조치들을 현명하다고 평가한 이유를 밝혔는데요. 헨리 7세는 농가에 일정 비율의 토지를 갖게 함으로써 농민들이 "예속 상태에 빠지지 않게" 했으며, 무엇보다 "피고용자(hirelings)가 아니라 소유자로서 쟁기를 손에 쥘 수 있게" 했습니다.[김, 986; 강, 969~970] 그런데 이런 조치가 자본주의 성립에 필수적인 일들을 가로막습니다. 자본주의가 출현하려면 그 전제로서 "인민대중(Volksmasse)의 예속 상태와 피고용자로의 전환, 노동수단의 자본으로의 전환"이 꼭 필요한데요. 헨리 7세는 이것들을 가로막은 셈입니다.[김, 987; 강, 970]

헨리 7세 때부터 150년 동안 인클로저를 막고자 했던 입법들은 왜 실패했는가. 베이컨은 『수상록』에서 이 법들에 대해 '시대에 뒤떨어진 낡은' 법들이라고 표현했는데요. 이 말 그대로입니다. 일단 자본주의로의 이행이 본격화된 뒤부터는 이런 법이 힘을 발휘할 수 없었습니다. 열차가 달리기 시작하면 반대로 걷는다고 이동을 멈출 수는 없지요. 오히려 블로크의 말처럼 "이런 법률의 제정이 거듭되었다는 사실 자체가 이 법률이 제대로 지켜지지 않았음을 입증한다"라고 보는 게 맞을 겁니다.[32]

16세기를 경과하면서 대세는 결정되었습니다. 16세기 말 나라를 순시한 엘리자베스 여왕은 이렇게 말했다고 합니다. "빈민이 도처에 널려 있다."(Pauper ubique jacet)[김, 988; 강, 971] 땅을 잃은 빈민들이 도처에서 출몰했던 거죠. 여왕으로서는 자신이 다스리는 나라에 빈민들이 넘쳐난다는 사실을 인정하기 힘들었을 겁니다. 통치의 실패를 보여주는 것이니까요. 하지만 상황이 너무나 심각했기에 결국 공식적으로 인정할 수밖에 없었습니다. 여왕 재위 43년이 되던 1601년 '구빈법'이 제정되었습니다. 다만 법을 제정하게 된 이유를 차마 밝힐 수가 없어서 '전문(前文)을 달지 않은 채' 공포했다고 합

니다.[김, 988~989; 강, 971~972]

그러나 인클로저를 큰 문제라고 느끼던 이 시대는 오래 가지 않았습니다. 16세기 말 엘리자베스 여왕은 빈민이 양산된 현실을 치욕으로 받아들였고, 그 시대의 철학자 베이컨은 인클로저로 농민들이 궁핍에 빠졌고 이것이 결국 재정과 군사적 위기까지 초래할 것이라 경고했습니다.[김, 986, 각주 5; 강, 970, 각주 193a] 하지만 17세기 말 농학자 존 호턴(John Houghton)은 인클로저가 "에스파냐 국왕의 포토시 광산보다 더 큰 수익을 우리에게 가져다줄 것"이라고 했습니다. 그리고 이로부터 한 세기 후 마르크스가 그토록 경멸했던 철학자 제러미 벤담(Jeremy Bentham)은 인클로저화된 농촌 풍경을 "진보와 행복의 가장 확실한 표시" 가운데 하나라고 했습니다.[33]

◦ 종교개혁 후 인민들은 더 가난해졌다

농민 추방은 교회 소유의 땅에서도 일어났습니다. 16세기는 종교개혁이 일어난 때이기도 합니다. 마르크스에 따르면 "당시 가톨릭교회는 영국 토지의 대부분을 차지하고 있던 봉건 소유주"였습니다. 종교개혁으로 수도원이 해산되고 많은 토지가 몰수되었습니다. 돈벌이에 혈안이 된 귀족과 부르주아지에게는 놓칠 수 없는 기회였지요. 이런 땅의 대부분은 "왕의 탐욕적인 신하들에게 하사"되거나 "투기적인 차지농업가나 도시 부르주아들에게 헐값에 팔렸"습니다. 그리고 이들 새 지주들은 곧바로 인클로저를 단행했지요.[김, 988; 강, 971]

그런데 교회 토지의 수탈에는 특별한 의미가 있습니다. "교회 재산은 전통적 토지 소유관계의 종교적 보루"였습니다. 교회 토지가 몰수되고 매각되었다는 것은 이 보루가 무너졌다는 뜻입니다. 사람들에게 전통적인 토지 소유관계가 "더 이상 유지될 수 없"다는 메시지를 던진 것이지요.[김, 990; 강, 973]

사실 종교개혁에는 복잡한 면이 있습니다. 마르크스는 종교개혁이 교회 토지의 몰수를 낳았고 이것이 농민 추방으로 이어졌다고, 즉 종교개혁이 프롤레타리아트의 양산으로 이어졌다고 했는데요. 반대 방향도 고려할 필요가 있습니다. 토지에서 추방되어 프롤레타리아화된 대중들이 종교개혁의 기반이 되었다고도 할 수 있지요. 실제로 16세기 종교개혁은 농민반란과 궤를 함께했습니다.

참고로 엥겔스는 『독일 농민 전쟁』에서 중세를 무너뜨린 투쟁들을 '신학적 다툼'의 관점에서만 보는 것을 강하게 비판했습니다. 설령 봉기를 일으킨 세력이 '종교적 구호'를 내걸었다 하더라도 그것을 구교와 신교의 갈등으로만 이해해서는 안 된다는 것이지요.[34] 교회가 중세 질서를 상징하는 한에서, 중세 질서에 대한 저항은 교회에 대한 공격으로 나타날 수밖에 없습니다. 물질적 이해관계에 따른 계급투쟁도 종교적 성격을 띤다는 거죠. 우리는 이 시기 종교개혁이 농민전쟁과 맞물려 있었다는 점을 잊어서는 안 됩니다.

엥겔스는 종교개혁 당시 '보수적인 가톨릭 진영'에 맞선

두 세력을 언급했는데요. 한쪽은 '부르주아적이고 개량적인 당파'입니다. 도시 부르주아들과 하급 귀족들, 교회 재산을 노리던 일부 제후들로 이루어져 있었지요. 다른 한쪽은 '혁명적 당파'로 주로 농민들과 평민들로 이루어져 있었습니다. 종교개혁 초기에는 이들이 잘 구분되지 않았습니다. 모두가 마르틴 루터를 중심으로 뭉쳐 있었지요. 하지만 농민전쟁이 확산되자 양상이 변했습니다. 전자는 루터를 중심으로 결집했지만 후자는 토마스 뮌처(Thomas Münzer) 등 새로운 인물들 주변에 모여들었지요.

엥겔스는 루터가 처음 깃발을 들었을 때부터 두 세력은 봉기에 대해 다른 이미지를 그리고 있었다고 말합니다. 농민들과 평민들이 "모든 압제자들에게 앙갚음을 할 수 있는 날이 왔다고 믿었"던 것에 반해 부르주아지와 일부 귀족들은 "성직자들의 권력과 로마에 대한 종속, 가톨릭의 위계제 등을 타파할 생각만을, 그리고 교회 재산을 몰수하여 치부할 생각만을 품고 있었"다는 겁니다.[35]

종교개혁은 왜 빈민의 양산으로 귀결되었는가. 종교개혁 이후 농민들은 왜 '포겔프라이 프롤레타리아트'가 되었는가. 어떤 필연적 이유가 있어서가 아닙니다. 단지 전쟁에서 패배했기 때문이죠. 엥겔스는 농민들과 평민들이 주축이 된 뮌처파의 철학과 강령이 "공산주의에 닿아 있었다"라고 평가했는데요. "현대 공산주의 분파들 가운데 단 하나도 16세기의 '뮌처파'보다 더 내용 풍부한 무기고를 갖추고 있지 못했다"라고까지 이들을 추켜올렸습니다.[36] 엥겔스의 평가를 받아들인다면 우리는 자본주의가 출현하기도 전에, 부르주아지와 프롤레타리아트가 종교개혁과 농민전쟁의 형태로, 각자 선취한(예감한) 자본주의와 공산주의를 걸고 일전을 벌였다고 말할 수도 있겠습니다. 결과는 부르주아지의 승리였습니다.

결국 종교개혁은 '인민의 부'가 아니라 '인민들의 가난'을 낳았습니다.[김, 990, 각주 10; 강, 973, 각주 198] 그런데 상업화된 신흥귀족과 부르주아들은 자신들의 부가 인민들의 가난 때문에 줄어들지 않을까 걱정했습니다. 한마디로 구빈세를 내고 싶지 않았습니다. 그래서 구빈세를 회피하기 위한 온갖 책략을 구사했습니다.

마르크스는 엘리자베스 여왕이 '구빈세'를 도입했을 때 개신교도들이 보인 반응을 주석에 소개했는데요. 영국 남부 지방의 지주들과 차지농업가들이 아주 '기발한' 제안을 합니다. 빈민에 대한 관리 비용을 줄일 뿐 아니라 잘하면 수익까지 올릴 수 있는 모델인데요. 일단 빈민들을 수용할 감옥을 만들고 여기에 구호 대상 빈민들을 가둡니다. 수감을 거부하면 구호 대상에서 제외해버리기로 합니다. 그런 다음 일손이 필요한 사람들에게 이들을 임대합니다. 오늘날로 치면 일종의 인력회사라고 할 수 있죠. 사망 사고 같은 게 생겨도 교구는 책임지지 않습니다. 그건 사용자 책임이니까요.[김, 989, 각주 9; 강, 972, 각주 197]

이렇게 하면 교구는 구빈 비용을 아낄 수 있고, 책임을 지지 않아도 되며, 잘하면 수익까지 낼 수 있습니다. 돈벌이를 위한 참 세심하고 꼼꼼한 '정신'이 아닐 수 없습니다. 교회의 땅을 차지해 돈을 벌고, 그 땅에서 쫓겨난 빈민들을 활용해 또 돈을 벌고 말이지요. 마르크스는 여기서 "프로테스탄트 '정신'(Geist)"이 어떤 것인지를 볼 수 있다고 말하고 있지요.[김, 989, 각주 9; 강, 972, 각주 197]

◦ 국유지와 공유지의 약탈

또 하나의 중요한 땅이 있는데요. 국유지(Staatsdomänen)와 공유지(공유재산)(Gemeindeeigentum)입니다. 봉건적 소유 관계 해체에 따른 토지의 사유재산화는 국유지와 공유지에서도 나타났습니다.

국유지 약탈이 본격화된 것은 17세기 말 이후입니다. '명예혁명'(1688) 이후 "그때까지 조심스럽게 자행되던 국유지 약탈이 대규모로 자행"되었습니다. 마르크스에 따르면 "이처럼 사기치고 횡령한 국가재산(Staatsgut)은 교회에서 약탈한 땅—공화주의 혁명 기간에 (이 땅을) 상실하지만 않았다면—과 함께 오늘날 영국 과두제 지배자들이 가진 땅의 기초"가 되었습니다.[김, 991~992; 강, 974]

국가는 이 시기 자본의 성장에 결정적 역할을 했습니다. 한편으로는 자본의 형성과 성장에 국가권력이 이용되었지요. 나중에 자세히 살펴볼 겁니다만 식민지 개척, 국채 등의 신용제도, 조세제도, 보호무역제도 등을 통해 국가는 자본을 속성으로 길러주는 '온실' 역할을 했습니다. 다른 한편, 지금 보는 것처럼 국가재산을 사유재산으로 전환하는 통로가 되어주었습니다.

앞서 나는 예전의 왕들이 땅과 백성을 소유한다고 했을 때 그것을 사유재산으로 소유한 것이 아니라고 했습니다. 왕은 그 땅의 공적 통치자이고 관리자인 것이지 사적 자산가가 아니라고 했지요. 왕의 소유, 국가의 소유는 근대적 의미의 사적 소유를 막는 원리였습니다. 그런데 시초축적기의 국유지 매각에서는 그렇지 않습니다. 왕이 나라의 공적 관리자가 아니라 사적 자산가처럼 행동하면서 국가재산을 헐값에 팔아치웠고 이것이 거대한 사유재산의 형성을 도왔습니다. 국가재산이 아니었다면 이 정도 규모의 재산을 개인이 쉽게 얻을 수는 없었을 겁니다. 시초축적과 관련해서 보자면 국유는 사유의 부정이 아니라 기반이 되었습니다.[37]

정리하자면 시초축적기 자산가들은 국가권력을 활용해서도 부를 쌓았지만(뒤에 자세히 다루겠습니다), 국가재산을 차지함으로써도 부를 쌓았습니다. 사실 이것은 자본주의 시초축적기에만 일어난 일이 아닙니다. 20세기 말 사회주의 국가들이 자본주의로 전환될 때도 그랬고(국영기업들의 불하), 오늘날 자본주의 국가들에서도 여전히 일어나는 일입니다(공기업 민영화). 한국 재벌들도 대부분 이런 식으로 시초축적을 했죠.

다음으로 검토할 토지는 공유지입니다. 공유지 약탈에는 국유지 약탈과는 또 다른 의미가 있습니다. 공유지는 공동체의 재산입니다. 국가재산도, 개인재산(사유)도 아닌 공통 재산(common wealth)이라고 할 수 있지요. 그렇다고 두 사람 이상이 소유권 등기에 이름을 올린 재산이라는 뜻은 아닙니다. 지금 말하는 공유지는 근대적 의미의 '소유' 개념과 맞지 않는 재산입니다. 근대적 의미에서 소유한다는 것은 소유권자가 '전적 처분권'을 갖는 것입니다. 이는 타인에 대해 '배타적으로'(exclusive) 권리를 행사한다는 뜻입니다. 이 배제권(right of exclusion)을 한 사람이 행사하느냐 두 사람 이상이 공동으로 행사하느냐는 중요하지 않습니다. 타자를 배제할 울타리를 둘렀느냐가 중요하지요. 그런데 공유는 이런 울타리의 권리를 인정하지 않는 겁니다. 공유지란 타자의 이용을 배제하는 땅이 아니라 타자와 함께 이용하는 땅입니다.

여담입니다만, 1970년대 호주에서 흥미로운 토지소유권 소송이 있었습니다. 호주 원주민들이 자신들의 거주지에 정부가 광산촌을 건설하려 하자 소유권 확인 소송을 제기했는데요. 판사는 원주민들의 소유권을 인정하지 않았습니다. "타자들을 배제하는 권리가 불분명하다"라는 게 이유였습니다. 원주민들이 그 땅에서 타인들의 이용을 완전히 배제하지 못했다는 거죠. 그러면서 이렇게 덧붙였습니다. "그들은 땅을 소유했다기보다 땅에 속했던 자들이다."[38]

원주민들의 토지소유권을 부인하기 위한 참으로 교묘한 판결이었습니다(만약 이 권리를 인정했다면 이 땅을 침략해서 자기 것으로 만든 백인들은 어마어마한 비용을 지불해야 했을 겁니다). 하지만 다시 생각해보면 이 판결문에는 땅의 소유와 관련된, 근대사회와는 다른 시각이 드러나 있습니다. 원주민들은 땅을 사적으로 소유하고 거래할 수 있는 물품으로 보지 않았다는 것이지요. 땅이란 거기 소속된 모든 존재, 인간은 물론이고 모든 동식물이 함께 누리는 공동의 기반, 공동의 부였다고 할 수 있습니다.

물론 시초축적기의 공유지는 자연공동체나 씨족공동체의 소유와는 다른 것입니다. 이런 공동체들에서는 공동체가 토지의 유일한 소유자이고 개별자는 무소유자입니다.[39] 그런데 시초축적기 약탈 대상이 된 공유지는 "봉건제의 외피를 쓰고 존속해온 고대 게르만 제도의 하나"입니다.[김, 992; 강, 975] 고대 게르만족은 개별 가문이나 부족의 연맹체였습니다. 개별자들이 저마다 땅을 가지고 있었습니다. 공유지는 이런 개별적 소유의 보완물이었습니다. 연맹체에 속한 가문이나 부족이 공동으로 이용하는 사냥터, 방목지, 벌목터 같은 곳이었지요. 연맹체 안에서는 누구도 소유권을 주장하지 않는 땅입니다. 적대관계에 있는 타 종족들에 대해서만 소유권을 주장했지요.[40]

영국을 포함해 중세 서구에는 이런 전통과 관습이 남아 있었습니다. 곳곳에 공유지가 있었지요. 이런 땅도 명목상으로는 영주의 것이었습니다. 하지만 실질적으로는 그렇지 않았습니다. 영주의 재산 목록을 보여주는 '영지명세장'만 보면 임야와 같은 공유지가 전적으로 영주의 것처럼 보입니다. 하지만 당시 영주나 농민들이 임야를 실제로 영주의 재산으로 생각했을까요. 블로크에 따르면 그렇지 않습니다. "주민들이 임야에 대한 이용권, 즉 방목권과 야생식물채취권 및 나무채취권을 지니고 있었다는 것은 이론의 여지 없이 명백한 사실"이며, "이러한 주민들의 권리는 당시 법정에서도 몹시 존중되고 보호받을 만한 권리"였습니다.[41] 임야와 공유지의 이용 실태를 살펴보면 "영주에 맞서 땅에 대한 동등한 권리를 행사하는 농민들의 공동체가 존재했다는 사실"을 추정할 수 있습니다.[42] 마르크스도 주석에서 이 사실을 확인하고 있지요. 자영농민은 물론이고 영주에게 인신이 예속된 농노조차 "공유지의 공동소유자"였다는 사실을 잊어서는 안 된다고 했습니다. [김, 983, 각주 2; 강, 966, 각주 191]

그런데 누구도 배타적 소유권을 확보하고 있지 않다는 사실, 즉 공유지의 법적 모호함이 새로운 토지귀족들에게 매력적으로 다가왔습니다.[43] 마르크스에 따르면 15세기 말 시작해서 16세기 내내 공유지에 대한 '폭력적 약탈'이 자행되었습니다. 법적 모호함을 활용한 사적 폭력이 행사되었지요. [김, 992; 강, 975]

그래도 17세기 말까지는 공유지에 대한 농민들의 권리가 살아 있었습니다. 마르크스에 따르면 이때까지는 "농촌의 임금노동자들까지도 공유지의 공동 소유주"로 남아 있었습니다. 하지만 "18세기 마지막 몇 십 년 동안 농민들의 공유지는 흔적도 없이 사라졌"습니다.[김, 990~991; 강, 973] 입법 방향이 완전히 바뀌었거든요. 15세기 말부터 150년 동안은 공유지 인클로저를 막는 법률들이 제정되었습니다. 그런데 18세기 의회는 '공유지 인클로저를 위한 법안'(Bills for Inclosures of Commons)을 만들었습니다. 법률 자체가 공유지 강탈의 수단이 된 거죠.

마르크스는 이 법안에 대해 "지주가 인민들의 공유지를 사유재산으로 증여받기 위한 법령이자 인민 수탈 법령"이라고 맹렬히 비난합니다.[김, 993; 강, 975] 이는 청년 시절 그가 『라인신문』에 쓴 논설을 떠올리게 하는데요. 1841년 라인주 의회가 '목재 절도에 관한 법'(Holzdiebstahlsgesetz)을 제정하려 했을 때 그는 긴 반대 논설을 썼습니다. 그는 땔감용 나뭇가지를 줍는 일을 절도죄로 처벌한다면 가난한 민중들은 "처벌을 볼 뿐 범죄는 보지 않을" 거라고 했습니다.[44] 죄 없이 벌을 받는다고 생각하겠지요. 오랫동안 게르만족의 전통에서 산에서 땔감을 구하는 것은 주민들의 당연한 권리였습니다. 그런데 갑자기 이를 처벌한다면 민중들은 자신들이 아니라 법이 잘못되었다고, 법이 타락했다고 생각할 겁니다.

◦ 정치경제학자들의 묵인, '신성한 소유권'의 위선

국유지와 공유지에 대한 약탈이 본격화된 18세기는 정치경제학의 세기이기도 했습니다. 마르크스는 프레더릭 M. 이든(Frederick M. Eden)을 인용하는데요. 참고로 이든은 마르크스가 "스미스의 제자들 중 18세기에 의미 있는 무언가를 해낸 유일한 사람"이라고 평가한 학자입니다(『노동자의 운명』, 47쪽). 이든은 한편으로는 공유지를 사유지로 만드는 입법('의회적 쿠데타')을 지지하면서 다른 한편으로는 빈민들에 대한 '손해배상'을 요구했습니다.[김, 993; 강, 975] 봉건영주의 자리를 이어받은 대지주가 공유지를 차지한 것이 옳다고 말하면서 동시에 빈민들이 부당한 수탈을 당했다고 말한 셈입니다.

이든의 혼란은 18세기 사람들의 혼란이기도 했습니다. '공유지 인클로저'에 대한 격렬한 논쟁이 여기저기서 일어났습니다. 마르크스에 따르면 18세기 사람들은 19세기 사람들의 인식, 즉 '국민적 부'(Nationalreichtum)를 위해서는 '인민의 가난'(Volksarmut)이 필요하다는 인식에 아직 이르지 못했습니다.[김, 994; 강, 976] 그래서 인클로저가 유발한 황폐한 농촌의 풍경과 인민의 가난을 고발하는 글이 많았습니다. 마르크스는 18세기 말에 출간된 몇몇 자료를 인용하는데요. 공동경작지가 대지주 소유로 넘어가고, 수십 개의 농장이 소수 대농장에 병합되었다는 이야기, 수천 에이커의 경작지가 목초지로 바뀌었다는 이야기, 농촌 교구의 가구 수가 크게 줄어들었다는 이야기, 땅을 잃은 사람들이 도시 공장으로 몰려들어 일용 노동자로 전락했다는 이야기, 농촌에 노동자로 남은 사람들은 임금이 너무 낮아 일을 하면서도 공적 구호의 대상이 되었다는 이야기 등이 소개되어 있습니다.[김; 994~996; 강, 976~979]

물론 이런 현상을 반기는 사람들도 나타났습니다. 마르

크스는 존 아버스넛(John Arbuthnot)을 언급하고 있는데요. 아버스넛에 따르면 경작지에서 농민들이 사라진 것은 매우 환영할 만한 일입니다. 이는 인구가 감소한 게 아니라 어디론가 이동했다는 뜻이니까요. 그에 따르면 인클로저는 "소농민들을, 타인을 위해 노동하지 않으면 안 되는 사람으로 변화"시킵니다. 인클로저로 쫓겨난 농민들은 결합노동을 통해 차지농장의 생산량을 증대시킬 것이고, '국민의 금광'인 매뉴팩처의 수를 늘리는 데 기여할 거라고 했죠.[김, 996~997; 강, 979]

지난 책에서도 우리는 부의 비밀이 가난에 있다는 사실을 언급한 학자들을 본 적이 있습니다(『노동자의 운명』, 46~49쪽). 모두가 이 시기의 학자들입니다. 아버스넛이 특별한 게 아닙니다. 자본주의적 생산이 자리를 잡아가면서 이런 사실을 깨닫는 사람들이 많아졌지요. 자본의 축적을 위해서는 '프롤레타리아트의 증식'이 필요하고, 이를 위해서는 더 많은 사람이 빈곤으로 내몰려야 한다는 것 말입니다.

그렇다고 하더라도 당시 정치경제학자들이 공유지 약탈을 묵인하거나 그 필요성을 인정한 것은 놀랍습니다. 공유지 인클로저는 이들이 그토록 신성시하는 소유권을 유린한 일이기 때문입니다. 마르크스는 이들의 위선을 이렇게 고발합니다. "'신성한 소유권'에 대한 제아무리 파렴치한 침해도, 인격에 대한 제아무리 난폭한 폭행도, 자본주의적 생산양식의 토대를 쌓기 위해 필요한 것처럼 보이는 즉시" 정치경제학자들은 사태를 "스토아학파적인 평정심"으로 바라본다고요.[김,

997; 강, 980]

특히 마르크스는 이든에 대한 배신감을 토로하는데요. 스미스의 제자 중 거의 유일하게 평가할 만한 사람이었고 '박애주의적'(philanthropische) 인물로 보였으니까요. 이든은 '경작지'와 '목초지'의 비율이 어떻게 변화해왔는지를 일별하면서 이런 말을 했습니다. 14~15세기만 하더라도 경작지가 목초지에 비해 많게는 네 배까지 되었는데 나중에는(18세기) 목초지가 경작지보다 세 배 정도 많아졌다고, 이로써 "마침내 (…) 적절한 비율"에 이르렀다고 말이지요.[김, 997~998; 강, 980]

마르크스가 놀란 것은 이든의 어조입니다. 이든은 참 태연합니다. 아니 태연한 걸 넘어서 결과에 아주 만족스러워합니다. 박애주의자 이든은 15세기부터 18세기까지 이루어진 인민들에 대한 수탈과 강도짓, 도둑질을 모르지 않았을 텐데요. 이 모든 일들을 뒤로하고 아주 "편안한(komfortablen) 결론을 도출"하고 있습니다.[김, 997; 강, 980] 아주 '적절한 비율'이 되었다고 말입니다.

◦ '함께'에 대한 기억

19세기가 되면 공유지는 사라집니다. 마르크스는 19세기가 되면서 "경작자와 공유지 사이의 연관에 대한 기억조차 사라졌다"라고 했습니다.[김, 998; 강, 980] 다음 이야기로 넘어가기 전에 이 '기억'(Erinnerung)의 중요성에 대해 짧게 언급하고 싶습니다.

이전에 나는 마르크스가 말한 노동력 상품화의 두 가지 조건에 하나를 덧붙인 바 있습니다. 상품으로서 노동력이 출현하려면 이중의 자유, 즉 '해방'(신분해방)과 '상실'(생산수단 상실)이 있어야 한다고 했는데요. 그때 나는 두 번째 조건인 '상실'에 대해, 사람들이 잃은 것은 생산수단만이 아니라고 했습니다. 공동체의 상실 또한 중요하다고 했지요(『성부와 성자』, 123쪽). '포겔프라이 프롤레타리아'는 생산수단을 잃었을 뿐 아니라 자신들이 기대어 살아온 공동체마저 해체되었을 때 나타납니다.

이와 관련해 공유지에 대한 기억은 중요합니다. 공유지는 내 땅도 아니고 남의 땅도 아닙니다. 공유지는 누구도 소유하지 않는 땅입니다. 그것은 '함께' 이용하는 땅, '함께' 누리는 땅입니다. 공유지를 경작할 때 경작자는 공유지의 기반이자 공유지를 통해 표현되는 인간적 유대 즉 공동체를 체험하고 누립니다. 말하자면 공유지는 '함께' 누리는 땅이자 '함께'를 누리는 땅이라고 할 수 있습니다.

따라서 공유지는 물질적 생산수단이기만 한 것이 아닙니다. 공유지는 그 이상입니다. '경작자와 공유지 사이의 연관'이란 생산자와 생산수단이 맺는 관계만이 아니라, 생산자가 자신이 속한 공동체와 맺는 관계이기도 합니다. 그래서 공유지에 대한 기억에는 상품 내지 화폐가 매개하는 인간관계나 자본주의적 인간관계와는 다른 인간관계에 대한 기억이 담겨 있습니다. 바로 공동체(코뮨)에 대한 기억이지요.

실비아 페데리치(Silvia Federici)는 공유지의 사회적 기능을 환기한 바 있는데요. 그에 따르면 공유지는 소농과 소작인들의 재생산에 필요한 물질적 기반이기도 했지만, "집단적 의사결정과 협업노동을 장려"하는 장이었고, 무엇보다 "농민들이 서로 연대하고 어울릴 수 있는 물질적 토대"였습니다. "농민 공동체의 축제, 놀이, 모임이 모두 공유지에서 이루어졌"습니다. 공유지는 특히 여성들에게 중요했습니다. 토지소유권에 접근하기 어려웠던 여성들은 생계를 위해 공유지를 적극 활용했습니다. 공유지에서 사회생활도 영위했습니다. 공유지는 여성들끼리 이야기를 나누며 공동체의 사건에 대한 자신들의 관점을 키웠던 곳입니다.[45]

그런데 공유지 인클로저와 함께 이 모든 것이 공격받았습니다. 공유지에 둘러진 울타리와 함께 공동체의 유대도 깨졌습니다. 페데리치에 따르면 인클로저 시기에는 집단성에 대한 공격이 많이 나타났습니다. 주로 "노동자들의 유대와 단결의 원천이었던 운동, 놀이, 춤, 맥주연회, 축제, 기타 집단의례"가 공격의 대상이 되었다고 합니다. 이 시기는 청교도혁명의 시기이기도 한데요. 청교도들은 무질서를 막는다는 명목으로 "프롤레타리아트의 모임과 잔치놀이를 모두 금지"해버렸습니다. 토지에 대한 인클로저만 있었던 게 아닌 겁니다. 노동인구의 재생산과 관련된 모든 활동, 온갖 사회적·문화적·종교적 활동에서도 공동의 영역을 사적 영역으로 가두

는 "사회적 인클로저"가 있었던 거죠.[46]

요컨대 공유지 약탈은 물질적 생산수단에 대한 약탈이기도 했지만 인간관계에 대한 약탈이었다고도 할 수 있습니다. 자본의 축적과 함께 공유지에 대한 기억이 역사의 지층 아래 매장되어버렸습니다. 자본주의적 생산양식을 넘어서고자 한다면 우리는 미래를 개척하는 것만큼이나 과거를 발굴할 필요가 있습니다. 아니, 이렇게 말하는 게 좋겠습니다. 미래를 개척하기 위해서라도 우리는 과거를 발굴해야 합니다.

◦ 땅에서 인간을 쓸어내기—스코틀랜드의 경우

이렇게 해서 시초축적기 토지 수탈에 대한 이야기가 끝났습니다. 이 시기 토지 수탈은 자산의 축적이라는 점에서도 중요하지만, '포겔프라이 프롤레타리아트'의 양산이라는 점에서 더 중요합니다. 마르크스가 토지 수탈 이야기부터 꺼낸 것은 이것이 노동자의 출현에 결정적 영향을 미쳤기 때문입니다. 수많은 상품이 있어도 노동력이라는 특별한 상품 하나가 없다면 자본주의는 불가능합니다. 15세기 말에서 18세기 말까지 지속된 인클로저는 노동자가 될 대량의 인간대중을 만들어냈습니다.

물론 새로운 토지귀족들이 매뉴팩처에 노동자를 공급하기 위해 인클로저를 감행한 것은 아닙니다. 그들은 돈을 좇았을 뿐입니다. 곡물보다 수익성이 높았던 양모를 얻기 위해 경작지를 목초지로 바꾼 것뿐입니다. 농민 추방은 그 귀결이며,

이렇게 추방된 농민들이 노동자가 된 것은 또 다른 장치들이 작동했기 때문입니다(이것은 다음 장에서 보겠습니다).

방금 말한 것처럼 마르크스가 토지 수탈에서 중요하게 본 것은 추방입니다. 땅에 양을 키웠다는 사실보다 땅에서 대규모의 인구가 추방되었다는 사실이 중요합니다. 그에게 '토지 수탈'은 '사유지 청소'(Clearing of Estates)와 같습니다. [김, 998; 강, 980] 도대체 사유지에서 무엇을 쓸어냈는가. 인간입니다. 15세기 말에서 18세기 말까지 지속된 인클로저는 한마디로 '인간 청소'였습니다.

인간 청소의 규모는 19세기에 가까워질수록 컸습니다. 사실은 19세기에도 엄청난 규모의 추방이 일어났지요. 마르크스가 '청소'라는 표현을 쓴 것도 실은 19세기의 '마지막 대규모 수탈 과정'을 지칭한 것이었습니다. '추방' 대신 '청소'라는 표현을 쓸 정도로 사람들을 완전히 쓸어냈다는 거죠.

우리는 19세기 농촌 인구의 추방을 지난 이미 살펴본 바 있습니다. 19세기의 추방은 18세기 말까지의 추방과는 다른 면이 있습니다. 농업생산성 증대로 농촌에서 상대적 과잉인구 현상이 나타난 것이 큰 이유였습니다. 구빈법도 영향을 미쳤지요. 주민의 숫자에 따라 세금을 부과했으므로 지주들은 부담을 줄이려고 농민들을 계속 몰아냈습니다. 주민들이 살 수 없도록 자기 토지 안에 있는 농가를 모조리 파괴해버렸지요(『노동자의 운명』, 190~192쪽).

그런데 마르크스는 19세기의 일이지만 18세기 말까지

벌어졌던 일의 정체를 압축해서 보여주는 사례를 하나 소개합니다. 스코틀랜드에서 일어난 일입니다. 지난 책에서 우리는 잉글랜드에서 관철된 자본주의적 인구법칙(상대적 과잉인구의 생산)을 아일랜드의 사례를 통해 더 선명하게 볼 수 있었는데요(『노동자의 운명』, 204~224쪽). 시초축적기 잉글랜드에서 일어난 사유지 청소(인간 청소)가 어떤 것인지를 스코틀랜드의 사례에서 더 선명하게 확인할 수 있습니다. 스코틀랜드에서 일어난 토지 수탈은 매우 조직적이었고, 단번에 대규모로 일어났으며, 수탈된 토지의 소유 형태 또한 독특했기 때문입니다.[김, 998; 강, 981]

스코틀랜드 고지대의 켈트족 게일인들은 씨족들(Clans)로 구성되어 있었고 토지소유권은 이들 씨족에게 있습니다. 명목상으로는 씨족의 우두머리인 '대인'(great man)이 소유권을 가졌지만 실제로는 씨족 전체의 땅이었지요. 이는 "영국여왕이 전 국토의 명목상의 소유자인 것과 마찬가지"입니다. [김, 998; 강, 981]

그런데 잉글랜드 정부가 고지대 씨족들 간의 내전을 진압하고 저지대에 대한 침입 또한 봉쇄했을 때 씨족의 우두머리들은 약탈의 방향을 바꾸었습니다. 내부에 대한 약탈에 나선 거죠. 스코틀랜드의 대인들은 토지에 대한 '명목적 소유권'(Titulareigentumsrecht)을 '사적 소유권'(Privateigentumsrecht)으로 바꾸었습니다. 씨족 전체의 재산을 자신의 사유재산으로 만든 거죠. 그리고 여기에 저항하는 씨족원들을 '공공연한 폭력'을 사용해 모두 추방했습니다.[김, 998; 강, 981] 앞서 봉건 제후나 영주들이 자행한 짓과 똑같지요.

가장 전형적인 예는 서덜랜드의 여공작 엘리자베스(Elizabeth)입니다. 그는 즉위하자마자 영지 전체를 목양지로 바꾸어버렸습니다. 마르크스는 그를 '경제에 숙달된 인물'(ökonomisch geschulte Person)이라고 했는데요. 일찌감치 돈에 눈을 떴다는 거죠. 그는 잉글랜드 병사들을 동원해 주민 1만 5000명(3000가구)을 추방했습니다. 그렇게 해서 "까마득한 옛날부터 씨족의 땅이었던 79만 4000에이커의 토지를" 사유재산으로 만들었지요. 그러고는 이 땅에 1만 5000명의 게일인 대신 13만 1000마리의 양을 키웠습니다.[김, 1001; 강, 983]

추방한 주민들에게는 바닷가의 황폐한 땅을 가구당 2에이커씩 나누어 주었습니다. 그마저도 무상으로 준 것은 아닙니다. 1에이커당 2실링 6펜스의 지대를 받았지요. 주민들을 추방한 땅에서는 양을 키워 돈을 벌고, 추방한 주민들을 황폐한 땅으로 옮겨 또 돈을 벌었습니다. 자기 씨족민들을 수탈 대상으로 삼은 겁니다. 마르크스는 수탈 대상이 된 사람들이 누구인지를 다시금 환기시키는데요. 이들은 "수세기 동안 [엘리자베스의] 가문을 위해 피를 바쳐온 씨족민들" 입니다.[김, 1001; 강, 983] 지난 책에서 썼던 표현을 다시 쓰자면, '혈육 살해의 죄', '동족 살해의 죄'를 저지른 겁니다(『노동자의 운명』, 223쪽).

그런데 여기가 끝이 아닙니다. 바닷가로 내몰린 주민들

은 별수 없이 어부가 되었는데요. 불행하게도 "대인의 코가 물고기 냄새를 맡"았습니다(이 '대인'은 씨족의 우두머리로, 엘리자베스를 가리킵니다). 정확히 말하면 돈 냄새를 맡았다는 거죠. '경제에 숙달된' 엘리자베스는 '양'만이 아니라 '물고기'도 돈벌이가 된다는 걸 알아차렸습니다. 그래서 씨족민들이 물고기를 잡던 해안을 런던의 어물상에게 임대했습니다. 씨족민들은 다시 추방되었지요.[김, 1001; 강, 983~984]

이야기가 하나 더 남았습니다. 경작지를 목양지로 바꾼 땅에서 새로운 일을 시작했어요. 목양지 일부를 수렵장으로 바꾼 겁니다. 잉글랜드 귀족들이 좋은 수렵지를 찾아 나서자 또 돈 냄새를 맡고는 목양지의 양들을 몰아내고 그 땅에 사슴을 들여왔습니다. 그런데 사슴은 수렵용으로 들여온 것인 탓에 초원이 아니라 숲을 필요로 했습니다. 경작지를 목초지로, 목초지를 다시 삼림으로 바꾼 거죠. 그런데 삼림은 씨족민들에게 목초지보다 더 파멸적 영향을 미쳤습니다. 삼림이 확대될수록 곡식을 구하기가 더 어려웠으니까요. 마르크스가 인용한 한 저자에 따르면 "사슴들은 갈수록 넓은 놀이터를 얻었지만 인간들은 더욱 좁은 울타리 안으로 내몰렸"습니다.[김, 1003; 강, 985]

당시 게일인들의 기근이 중요한 문제로 떠올랐는데요. 마르크스에 따르면 영국의 경제학자들은 '인구 과잉'을 기근의 원인으로 지목했습니다. 게일인들의 빈곤은 게일인들의 번식 탓이라는 거죠.[김, 1003, 각주 33; 강, 985, 각주 220] 놀랄 것도 없습니다. 지난 책에서 본 것처럼 이들은 잉글랜드는 물론이고 절대인구가 감소한 아일랜드의 경우에서도 '인구 과잉'을 빈곤의 원인으로 지목했으니까요. 그때도 빈곤의 책임을 빈민들에게 돌렸지요. 당시 인구는 '상대적 과잉인구'였습니다. 생계수단에 비해 인구가 많아 보인 거죠. 19세기에는 자본축적과 더불어 나타난 자본구성의 변화가 상대적 과잉인구의 중요한 원인이었습니다(『노동자의 운명』, 129쪽). 그렇다면 시초축적기의 과잉인구 현상, 즉 빈민들이 쏟아져 나온 것은 무엇 때문일까요. 그것은 '청소'의 결과입니다. 토지에서 많은 인간을 쓸어냈기 때문이죠.

제24장 제2절의 마지막 단락에서 마르크스는 지난 내용을 이렇게 정리하고 있습니다. "교회재산의 약탈, 국유지의 사기적 양도, 공유지(공유재산)의 횡령, 봉건적 재산과 씨족 재산의 강탈과 무자비한 테러리즘을 통한 이 재산의 근대적 사유재산으로의 전화, 이것들은 모두 시초축적의 목가적인 방법들이었다. 이것들은 자본주의적 농업을 위한 농지를 획득하고 토지를 자본에 통합시켰으며, 도시의 산업이 필요로 하는 포겔프라이 프롤레타리아트를 공급할 수 있게 해주었다."[김, 1004~1005; 강, 986~987]

3

노동자의 탄생 ②

피의 입법

'피의 입법', 즉 국가가 제정한 법률은
한편으로는 일터(경작지)에서 노동자들을 쫓아내고
다른 한편으로는
일터가 없다는 이유로 노동자들을 처벌했습니다.
마르크스의 말을 옮기자면 이렇습니다.
"오늘날의 노동자계급의 선조들은
부득이하게 부랑자와 빈민이 될 수밖에 없었는데
다음에는 그렇게 된 것에 대해 처벌을 받았다."
또한 국가는 노동자들의 단결에 대해서도
자본가계급의 이익을 보호하는 데만 철저했습니다.
노동조합 결성이 19세기 말에야 허용되었다는 것은
'단결을 통한 노동자들의 세력화'를
국가가 얼마나 두려워했는지를 보여주지요.

오노레 도미에, 〈봉기〉, 1848.
1791년 6월 14일 반포된 법령에 따르면 노동자들의 모든 단결은
"자유와 인권선언에 대한 위반"이었다. 노동자들의 단결이 왜
자유에 대한 침해이고 인권에 대한 침해라는 것일까. 왜 이런 억지를 부리는가?
노동자들의 단결이 부르주아들에게 그만큼 위협적이라는 의미다.

토지에서 쫓겨났다고 사람들이 곧바로 공장 노동자가 되는 것은 아닙니다. 토지에서 생겨난 대중의 흐름이 다른 곳으로 새어 나가지 않고 노동시장으로 흘러가도록 만드는 강력한 도관이 필요하지요. '대중'(Masse)이란 본래 '반죽' 같은 것을 지칭하는 말이었다고 했는데요. 빵이나 과자를 만들려면 반죽을 틀에 넣고 불에 구워야 합니다. 이제부터 살펴볼 제24장 제3절(영어판은 제28장)은 그런 이야기입니다.

◦ 형벌을 통한 비노동의 범죄화

마르크스는 15세기 말부터 16세기 말까지 서구에서 '부랑자'에 대한 매우 잔인한 법률들이 제정되었다는 사실을 지적하고 있습니다. 소위 '피의 입법'(Blutgesetzgebung)이라고 부르는 것인데요.[김, 1006; 강, 987] 이 '피의 입법'은 우리에게 최소한 두 가지 사실을 말해줍니다. 하나는 이 시기에 부랑자가 그만큼 많았다는 것이고, 다른 하나는 이 시기 지배자들은 일하지 않고 돌아다니는 것을 범죄로 규정했다는 것입니다.

우리는 이 시기에 사람들이 쏟아져 나온 이유를 알고 있습니다. 봉건제 해체와 폭력적 토지 수탈로 많은 농민이 토지에서 쫓겨났지요. 이들은 왜 부랑자가 될 수밖에 없었는가. 한편으로는 일할 곳이 그만큼 많지 않았기 때문입니다. 짧은 시간에 너무 많은 사람이 쫓겨났으니까요. 이제 겨우 생겨나기 시작한 매뉴팩처는 이들을 많이 흡수할 수 없었고, 다른 한편 이들 또한 매뉴팩처에서 일할 준비가 되어 있지 않았습니다.

노동인구라고는 하지만 농사를 짓는 것과 물건을 만드는 것은 전혀 다른 일입니다. "자신들의 익숙한 삶의 경로에서 갑자기 쫓겨난 사람들로서는 새로운 상태의 규율(훈육, Disziplin)에 적응할 수 없었"겠지요. 결국 많은 사람이 거지와 도적, 부랑자가 되었습니다.[김, 1006; 강, 987]

이들의 부랑은 '개인의 성향'보다는 '상황의 강제'에서 기인한 것입니다. 그런데도 '피의 입법'에서는 이들이 '자유의지'(freiwillig)로 부랑을 택하기라도 한 듯이 다루었습니다. 한편으로는 일터(경작지)에서 쫓아내고 다른 한편으로는 일터가 없다는 이유로 처벌을 한 셈입니다. 마르크스의 말을 옮기면 이렇습니다. "오늘날의 노동자계급의 선조들은 부득이하게 부랑자와 빈민이 될 수밖에 없었는데 다음에는 그렇게 된 것에 대해 처벌을 받았다."[김, 1006; 강, 987]

당시의 법을 '피의 입법'이라고 부른 것은 그만큼 잔혹했기 때문입니다. 프리드리히 니체는 '인간 기억술'의 잔인함에 대해 이렇게 이야기한 적이 있습니다. "기억에 무언가를 남기기 위해서는 불로 달구어 찍어야 한다. 끊임없이 고통을 가하는 것만이 기억에 남는다." 니체는 이것이야말로 기억에 관한 가장 오래된 심리학적 명제이며, 이 때문에 "기억 만들기를 필요로 할 때 그것은 피와 고문, 희생제물 없이 진행되지 않았다"라고 했습니다.[47]

이 이야기는 시초축적기의 '피의 입법'에 아주 잘 맞습니다. 이 법에 규정된 끔찍한 폭력들, 이를테면 신체에 채찍질을 하고 불에 달군 쇠로 문자를 새겨 넣는 일은 일종의 기억술로 보입니다. 무엇을 기억하게 하는가. '비노동=범죄'라는 정식이죠. 고통을 이용해 '비노동'과 '범죄'의 연관을 만들어내는 겁니다. 처벌이 잔혹할수록 둘의 연관은 강해집니다. 이 연관은 증명되는 게 아니라 새겨지는 겁니다. 옳고 그름을 따지기 전에 신체가 저 정식에 따라 반응하도록, 그래서 '사람은 일을 해야 한다'라는 생각이 자연스럽게 떠오르도록 하는 거죠. 노동자라는 새로운 정체성을 주입하기 위한 기초 작업이라 할 수 있습니다.

마르크스에 따르면 영국에서 '피의 입법'은 헨리 7세 때부터 나타납니다. 헨리 7세는 한편으로 인클로저를 막는 법을 제정했지만 다른 한편 부랑자에 대한 피의 입법도 제정했습니다. 헨리 8세 치하인 1530년에는 '거지면허'가 발급되었습니다. 일종의 부랑자격증이라고 할 수 있습니다. 나이가 너무 많거나 몸이 성하지 않아 도저히 일을 할 수 없는 경우 발급됩니다.

면허가 없는 부랑자는 어떻게 되었을까요. 피가 날 때까지 채찍질을 당한 뒤 거주지나 출생지로 돌아가 '노동을 하겠다'라는 맹세를 해야 합니다. 일이 없어서 떠나온 곳인데 다시 돌아가 일하겠다는 맹세를 해야 했으니, 마르크스의 말처럼 "잔혹한 아이러니"가 아닐 수 없습니다. 나중에는 추가 입법이 이루어졌는데요. 부랑죄로 처벌받은 자가 또 잡히면 채찍질에 더해 귀를 자릅니다. 세 번째로 잡히면 사형에 처했고

요.[김, 1006~1007; 강, 987~988]

에드워드 6세 때인 1547년에는 노동하지 않는 누군가를 고발하면 그 사람을 노예로 삼을 수 있도록 했습니다. 만약 그 노예가 14일 동안 계속 일을 하지 않으면 종신노예가 됩니다. 그리고 노예(slave)라는 표시로 이마와 등에 'S' 자 낙인이 찍힙니다. 세 번 도망가면 '국가반역죄'(Staatsverräter)로 사형에 처합니다. 주인은 이 노예를 사유재산으로 다룰 수 있습니다. 상속·임대·판매가 모두 가능합니다. 부랑자의 경우 사흘을 빈둥거리다 발견되면 부랑자(vegabond)라는 표시를 새기는데요. '불에 달군 쇠'로 가슴에 'V' 자 낙인을 찍어 출생지로 보냅니다. 만약 이 부랑자가 출생지를 허위로 신고하면 지역 주민의 종신노예로 삼고 이를 알리는 'S' 자 낙인을 찍습니다. 부랑자의 자식들도 부모와 떨어져 남자는 24세까지, 여자는 20세까지 강제 도제 생활을 해야 하며, 도망치다 잡히면 장인의 노예가 되어야 합니다. 주인들에게는 쇠사슬과 채찍 사용이 허가됩니다.

이런 비슷한 조항들은 엘리자베스 여왕 때도, 제임스 1세 때도 나타납니다. 부랑자에게는 채찍질을 가하고 불에 달군 쇠로 낙인을 찍습니다. 세 번 이상 동일 '범죄'를 저지르면 '국가반역죄'로 처형합니다.[김, 1008~1009; 강, 989~990] 토머스 모어는 『유토피아』에서 인클로저 이후 거지가 되거나 부랑자로 떠돌고 결국에는 도둑질을 하다 처형된 사람들 이야기를 하는데요. 마르크스가 인용한 자료에 따르면 이렇게 처형당한 사람이 헨리 8세 때에만 7만 2000명에 이른답니다. 엘리자베스 여왕 시절에는 매해 300~400명이 교수형에 처해졌고요.[김, 1008, 각주 2; 강, 989, 각주 221a]

이렇게까지 부랑자를 엄하게 다스린 이유가 무얼까요. 왜 일하지 않는 게 '국가반역죄'였을까요. 이렇게까지 잔인한 폭력이 가해졌다는 것은 그만큼 임금노동자가 된다는 것이 자연스러운 일이 아니었음을 말해줍니다. 자연스럽지 않을수록 큰 폭력이 필요한 법이죠. 물론 오늘날에는 많은 사람이 임금노동자의 삶을 원합니다. 그래서 취직을 하면 주변으로부터 대단한 축하를 받고 부러움을 사지요. 자연 즉 본성이 교체되었다고 할까요.

시리즈의 이전 책에서 나는 방적기를 발명한 아크라이트의 말을 인용한 적이 있습니다. "시골 사람들은 하루에 열 시간 넘게 공장에 갇힌 채 기계를 쳐다볼 생각이 없었다"(『공포의 집』, 134쪽). 기계제 대공업으로 넘어가던 시기에 나온 말인데요. 시초축적기에는 더 말할 것도 없을 겁니다. 매일 깨어 있는 시간의 대부분을 타인의 지시를 받으며 타인이 정한 리듬으로 일한다는 게 결코 쉽지만은 않습니다.

게다가 근대적 공장에서 자행된 착취는 봉건적 농장의 착취 이상이었습니다. 마르크스가 둘의 착취도(잉여가치율)를 비교한 적이 있지요. 도나우 지역의 악명 높은 법전 '레글르망 오르가니크' 아래서의 농민들에 대한 착취도(잉여가치율)보다, 19세기 '공장법' 아래서의 노동자들에 대한 착취도가 더 높았습니다(『공포의 집』, 50~51쪽). 전자는 봉건지주의 탐욕을 실현하기 위한 법이었고, 후자는 근대 자본가의 탐욕을 제어하기 위한 법이었는데도 말이지요.

이행의 내적 이유가 없을 때 필요한 것이 폭력입니다. 다른 이유가 없으면 폭력이 이유가 됩니다. 물론 이 시기의 잔인한 형벌이 꼭 노동자의 탄생만을 겨냥하지는 않았겠지요. 이 시기는 자본주의만이 아니라 근대국가의 형성기이기도 하니까요. 근대적 노동자의 탄생만큼이나 근대적 신민의 탄생이 중요한 때였습니다. 부랑자에 관한 형벌에는 두 측면이 같이 맞물려 있었다고 보아야 할 겁니다.

◦ 경제 외적 폭력의 필요

시초축적기가 자본주의적 생산양식의 토대를 구축하던 시기라고 한다면 이때의 폭력을 일종의 토대 폭력이라 부를 수 있지 않을까 싶습니다. 기존의 습속, 본성, 자연을 지우고 새로운 습속, 본성, 자연이 생겨날 기반을 조성한 거죠. 나중에는 새로운 것이 알아서 자라나겠지만 처음에는 기존의 것을 길들여야 합니다. "기괴하고 공포스러운(grotesk-terroristische) 법률"의 용도, 즉 토지에서 쫓겨난 사람들을 채찍질하고 불에 달군 쇠로 낙인찍으며, 고문을 가하는 폭력의 용도가 여기 있습니다. "임금노동 시스템에 필요한 규율(훈육)"은 이런 선행적 폭력 없이는 이루어지지 않습니다.[김, 1010; 강, 990]

시리즈 4권에서 말한 노동력이라는 상품이 출현하기 위

한 조건은 필요조건이지 충분조건이 아닙니다(『성부와 성자』, 121~123쪽). 그래서 마르크스는 이렇게 말합니다. "한쪽에서 노동조건이 자본으로 나타나고 다른 쪽에서 자신의 노동력 외에는 팔 것이 없는 사람이 나타나는 것만으로는 아직 충분치 않다. 이런 사람들이 자발적으로 자신을 팔지 않으면 안 되는 것만으로도 아직 충분치 않다."[김, 1010; 강, 990]

자본주의적 생산양식의 토대가 확고하게 구축되면, 그래서 자본관계가 사회 전체에 일반화되면 방금 말한 조건만으로도 충분할 수 있습니다. 자본의 축적과정 자체가 자본관계, 즉 자본가계급과 노동자계급의 관계를 재생산하니까요(『자본의 재생산』, 89~92쪽). 노동력의 수요공급법칙이 저절로 작동하고 그에 따라 임금이 이윤을 크게 침해하지 않는 수준(혹은 노동자들이 빈곤에서 쉽게 탈출할 수 없는 수준)에서 결정되게 하지요. 채찍이나 불에 달군 쇠가 필요하지 않습니다. 강제와 폭력은 시스템 자체의 성격으로 흡수됩니다. 고함칠 필요가 없습니다. "경제적 관계의 무언의 강제"로도 충분합니다.[김, 1010; 강, 990~991] 시스템의 작동만으로도 자본가의 절대적 지배, 지난 책의 표현을 빌리자면, '자본의 전제정'이 보장되지요(『노동자의 운명』, 145쪽).

물론 자본주의적 생산양식의 토대가 구축되었다고 해서 "경제 외적이고 직접적인 폭력"이 완전히 사라지는 것은 아닙니다. 하지만 이런 폭력은 "예외적으로만 사용"되지요. 시스템이 제대로 작동하지 않는 위기의 순간, 이를테면 공황의 순간에 법칙(법)을 넘어선 힘이 개입합니다(사실은 이런 순간이 자본의 주권을 확인하게 되는 때이기는 합니다(『노동자의 운명』, 150쪽). 그러나 이런 경우는 드뭅니다. 이미 말한 것처럼 '예외적'입니다. "사태가 정상적으로 진행되는 경우"에는 굳이 개입할 필요가 없습니다. 단지 "노동자를 '생산의 자연법칙'에, 즉 생산조건들 자체에서 생겨나고 그것들이 보장하고 영구화하는 자본에 대한 종속에 맡겨"놓아도 됩니다.[김, 1010; 강, 991]

그런데 시초축적기 즉 "자본주의적 생산의 역사적 발생기(창세기, Genesis)"에는 그렇지 않습니다. 사람들이 생산수단을 잃었다고 해서 곧바로 노동시장으로 나아가지 않습니다. 또한 작업장에 투입되었다고 해도 이들에 대한 임금이나 노동시간을 시장 상황, 이를테면 노동력의 수요공급법칙에 맡겨둘 수가 없습니다. 법칙 자체가 아직은 작동하지 않거든요. 이때는 경제적 관계의 힘만으로 노동자들을 통제할 수 없습니다. 강력한 외적인 힘이 필요하지요. 그것이 바로 '국가폭력'(Staatsgewalt)입니다.

◦ 계급입법—임금규제법과 단결금지법

마르크스가 국가폭력을 "소위 시초축적의 본질적 계기"라고 부른 것은 이런 이유입니다.[김, 1010; 강, 991] 국가폭력이 없었다면 자본주의적 생산양식의 토대 구축은 불가능했을 테니까요. 자본의 전제정이 완성되기 전에는 임금 규제도, 노동시간 연장도, 노동자의 복종도 모두 국가의 법령을 통해 이루어졌습니다.

19세기 이후 법령과 이전 법령을 비교해보면 그 차이를 알 수 있습니다. 마르크스는 19세기 공장법의 새로움에 대해 이런 말을 한 적이 있습니다(『공포의 집』, 127~130쪽). 18세기까지의 법령들은 대체로 노동자를 강제하기 위한 것인데, 19세기 공장법은 공장주를 규제하는 법이었다고요. 그러면서 18세기까지의 법령들이 노동자를 강제한 것은 그만큼 자본가들의 힘이 충분히 크지 않았음을 보여준다고 했습니다. 노동자들을 복종시키기 위해 국가의 힘을 빌렸다는 뜻이니까요.

18세기까지 그랬다면 시초축적기에는 말할 것도 없겠지요. 마르크스에 따르면 14세기 후반, 아니 15세기까지도 노동자들의 지위는 상대적으로 높았습니다. 전체 인구 중 노동자의 숫자가 많지 않기도 했지만 전통이나 관습의 영향도 있었지요. 농촌의 '자영농장'(selbständige Bauernwirtschaft)이나 도시의 길드 조직이 이들을 보호했습니다. 마르크스에 따르면 "농촌과 도시에서 고용주(Meister)와 노동자(Arbeiter)의 사회적 지위는 서로 근접해 있었"습니다. "자본에 대한 노동의 종속도 형식적인 것에 지나지 않"았습니다.[김, 1010~1011; 강, 991]

게다가 이 시기에는 자본의 유기적 구성(생산수단의 양/노동력의 양)이 높지 않았습니다. 주로 노동에 의존하는 생산이었고, 자본구성에서 인건비 비중이 무척 높았던 시절이죠. 그러니 자본이 축적될수록 노동에 대한 수요가 커집니다. 그런데 노동력의 공급은 충분하지 않았지요.[김, 1011; 강, 991] 노동자들에게 상대적으로 유리한 국면이었다고 할 수 있습니다. 마르크스가 언급하고 있지는 않지만 14세기 후반에는 흑사병의 영향도 있었습니다. 노동력 공급이 안정적이지 않던 때에 흑사병까지 돌았기 때문에 임금이 크게 오를 수밖에 없었지요.[48]

바로 이때 서구에서 처음으로 노동자 법령이 만들어졌습니다. 마르크스가 영국에서의 임금노동에 대한 입법의 효시라고 부르는 '노동자법'(Statute of Labourers, 1349)인데요. 프랑스에서도 비슷한 내용의 칙령이 그 무렵(1350) 반포되었습니다.[김, 1011; 강, 991~992] 이 법들은 노동자들을 위한 법이 아닙니다. 노동자들에게 상대적으로 유리한 국면에서 서둘러 제정된 법이라면 취지를 짐작하는 게 어렵지 않지요. 마르크스는 자본주의에서 임금노동에 대한 입법들이 대개 그렇지 않느냐는 듯 말합니다. "임금노동에 대한 입법은 원래 노동자를 착취하는 데 목적이 있었기 때문에 그 발전이란 언제나 노동자에게 적대적"이라고요. 이 법령들은 임금 규제와 노동일 연장에 관한 내용을 담고 있습니다. 특히 노동자들이 더 많은 임금을 받지 못하도록 '법정임금률'을 정해버렸지요.[김, 1011~1012; 강, 991~992]

당시 도시노동자는 '공개시장'(open market)에서만 고용하도록 했는데요. 노동력만 그런 건 아닙니다. 이 시기 상품

매매의 기본 원칙이었지요. 상품의 매매는 지정된 장소에서 당국의 감시 아래 이루어졌습니다. '공개시장'에서 거래해야 한다는 것은 누구나 거래에 참여할 수 있어야 한다는 뜻도 있지만, 무엇보다 거래가 '투명해야' 한다는 뜻을 담고 있었습니다. 물건의 생산자는 집이나 공방에서 물건을 팔아서는 안 되며 지정된 장소에서 지정된 가격에 팔아야 합니다. '자유로운 거래'(free trade)보다 '공정한 거래'(fair trade)가 중요했습니다.[49] 당국은 가격을 엄격히 감시했는데요. 역사학자 브로델에 따르면 시칠리아 같은 곳에서는 상인이 "규정된 가격보다 1그라노(grano)만 더 받아도 갤리선 노역수로 끌려"갔다고 하니 가격에 대한 규제가 얼마나 엄격했는지 알 수 있지요.[50]

노동력에 대한 공정한 가격이라는 말도 좋고 이것을 엄격히 규제했다는 말도 그 자체로는 나쁘게 들리지 않습니다. 그런데 이때가 노동자에게 매우 유리한 국면이었다는 점을 생각해야 합니다. 이때 '법정임금'을 정하고 엄격히 규제했다는 것은 임금 인상을 막으려는 의도가 있었다고 보아야 합니다. '법정임금'이 최저임금에 대한 규정이 아니라 최고임금에 대한 규정인 것도 이를 말해줍니다. "임금의 상한선만을 정했을 뿐 하한선은 정하지 않았"습니다.[김, 1012; 강, 993] 그러니 규정을 어겼다고 처벌되는 건 임금을 많이 주는 경우뿐입니다. 게다가 규정을 어긴 고용주와 노동자에 대한 처벌의 강도도 달랐습니다. 노동자에게 더 무거운 처벌이 가해졌지요(고용주에게 10일의 금고형을 내렸다면 노동자에게는 21일의 금고형

을 선고했습니다).[김, 1012; 강, 992]

임금만 규제한 것이 아닙니다. 노동자들의 단결도 법으로 엄격히 금지했어요. 이를테면 "석공과 목공이 서로 단결해 결성한 모든 결사, 계약, 서약 등은 무효로 선포"되었습니다. 이때 법률에 처음 나타난 노동자의 단결 금지에 대한 규정은 노동자들에 대한 법령 속에서 수백 년이나 지속됩니다. "단결 금지법이 철폐된 1825년까지 노동자의 단결은 중범죄로 취급"되었지요.[김, 1012; 강, 992~993]

16세기에도, 17세기에도, 18세기에도 법률을 통한 임금 규제와 노동자의 단결 금지는 계속되었습니다.[김, 1012~1014; 강, 993~994] "본격적인 매뉴팩처 시대가 되면" 이런 규제가 불필요할 만큼 자본주의적 생산양식의 토대가 확고해졌는데도 그랬습니다. 혹시나 해서 "옛날 무기고의 무기를 버리지 않"고 그대로 둔 것이지요. 그래서 18세기 말까지도 견직공의 임금을 치안판사가 정할 수 있었습니다. 제정된 지 100년도 넘은 법령으로 임금을 규제하기도 했지요. 예컨대 1799년 의회는 스코틀랜드 광산노동자의 임금이 엘리자베스 여왕 시대(1661, 1671)에 제정된 법령에 따라 규제된다는 점을 확인했습니다.[김, 1013~1014; 강, 993~994]

영국에서 임금 규제에 관한 법률은 1813년에 폐지되었습니다. 1349년에 처음 제정되었으니 400년도 훨씬 지나서였습니다. 달리 말하면 그만큼 일찍부터 최고임금을 규제한 것이지요. 그렇다면 최저임금은 어떨까요. 마르크스에 따르면 1796년 한 하원의원이 농업 일용 노동자들을 위한 법정 최저임금을 정하자고 제안했다고 합니다. 그러나 당시 수상 윌리엄 피트(William Pitt)는 빈민들이 참혹한 상황에 처했음은 인정했지만 최저임금 입법화는 거부했습니다.[김, 1014; 강, 994] 자본가를 위한 임금 규제는 그렇게 빨랐으면서 노동자를 위한 임금 보장은 그렇게 늦었던 거죠.

노동자의 단결을 금지하는 법령들은 어떻게 되었을까요. 이 법들도 400년 넘게 이어졌는데요. 1799년과 1800년에는 노동자들의 조직 결성 자체를 금지하는 '단결금지법'(Combination of Workmen Act)이 통과되었습니다. 프랑스혁명을 지켜본 뒤라 노동자들의 조직을 더욱 엄격하게 통제했지요. 앞서 말한 것처럼 이 법은 1825년에 가서야 폐지되었습니다. 이 법을 폐지시킨 힘은 이 법이 금지한 바로 그것에서 나왔습니다. 노동자의 단결 말입니다(『공포의 집』, 168~169쪽). 마르크스는 "프롤레타리아트의 위협적인 태도에 굴복"한 것이라고 했는데요.[김, 1014; 강, 994~995] 노동자들이 가진 유일하면서도 가장 강력한 힘, 지배계급이 매우 일찍부터 봉인했던 힘이라고 할 수 있지요.

'노동자의 단결 금지'라는 '계급입법'(Klassengesetzgebung)의 종언이 최종 선포된 것은 이로부터 다시 50년이 지나서였습니다. 1871년이 되어서야 노동자의 단결, 즉 노동조합이 법적으로 승인되었으니까요. 결국 노동자의 결사체가 법적으로 승인된 것은 처음 금지 입법으로부터 보자면 거의

500년 만입니다.[김, 1015; 강, 995] 임금 규제에 대해서도 그렇지만 노동자의 단결에 대해서도 국가가 얼마나 자본가계급의 이익을 보호하는 데 철저했는가를 알 수 있습니다. 특히 노동조합 결성이 19세기 말에야 허용되었다는 것은 단결을 통한 노동자들의 세력화를 얼마나 두려워했는지를 보여주지요.

참고로 마르크스는 부르주아들이 노동자의 단결을 얼마나 두려워했는지를 프랑스혁명(1789) 때의 이야기로 보여주는데요. "혁명의 폭풍이 시작되자마자 프랑스 부르주아지는 노동자들이 이제 막 취득한 결사의 권리에 대한 탈취를 감행" 했습니다. 그런데 명분이 아주 황당합니다. 1791년 6월 14일 반포된 법령에 따르면 노동자들의 모든 단결은 "자유와 인권 선언에 대한 위반"입니다.[김, 1015; 강, 995] 노동자들의 단결이 왜 자유에 대한 침해이고 인권에 대한 침해라는 걸까요. 오히려 자유와 인권을 지키기 위한 것으로 보이는데 말이지요.

입법을 주도했던 르 샤플리에(Le Chapelier)가 내세운 논리는 이렇습니다. 임금을 높임으로써 생필품 결핍에서 생겨나는 절대적 예속에서 벗어나는 것은 바람직하다, 그러나 "노동자가 자신들의 이익에 대해 서로 협의하고 공동 행동을 함으로써 '거의 노예와 같은 절대적 예속 상태'를 완화하는 것을 허용해서는 안 된다, 왜냐하면 노동자들의 그런 행동은 '과거 그들의 주인의 자유'를 침해하는 것이며, '과거 길드 장인의 전제정'에 대항하는 단결은 프랑스 헌법에 의해 폐지된 '길드의 재건'이기 때문이다.[김, 1016; 강, 996]

마르크스는 르 샤플리에의 문장 곳곳에 그 의미를 해설하는 문구를 삽입했습니다. '과거 그들의 주인'이라는 말 옆에는 '현재의 기업가'라는 말을 써넣었고, '과거 그들의 주인의 자유'라는 말 옆에는 '노동자를 노예 상태로 유지하는 자유'라는 말을 써넣었습니다. 그리고 '과거 길드 장인의 전제정에 대항하는 단결' 뒤에는 어떤 대답이 나올지 '한번 맞춰보라'(man rate!)라는 말을 썼습니다. '길드의 재건'이라는 답변이 너무 황당했기 때문이지요.

당시 부르주아 혁명 정부는 중세 도시의 특권 조식이었던 길드를 폐지했는데요. 노동자의 단결에 대해 르 샤플리에는 헌법으로 폐지한 길드의 재건이라며 "헌법의 위반이고 인권선언에 대한 침해"라고 했습니다. 헌법 위반이라는 것은 '국가범죄'(Staatsverbrechen)라는 뜻이지요.[김, 1015, 각주 6; 강, 996, 각주 225] 노동자들의 단결이 자본가의 자유에 대한 침해이자 봉건 질서의 재건이라니 억지도 이런 억지가 없습니다. 이렇게 억지를 부릴 때는 웃어넘길 게 아니라 물어야 합니다. 왜 이렇게까지 해야 했을까 하고요. 이때 우리는 무언가를 읽어낼 수 있지요. 노동자들의 단결은 부르주아들에게 그만큼이나 위협적이었던 겁니다.

4

자본가의 탄생

산업자본가의 탄생을 가능케 한 축적은
개인 차원이 아니라 사회적 차원의 변동,
사회적 배치를 뒤흔드는 혁명적 사건들을
필요로 했습니다.
도대체 어떤 일들이 있었던 걸까요.
마르크스의 대답은 이렇습니다.
발견, 약탈, 섬멸, 사냥, 생매장, 노예화.
산업자본의 시초축적 계기로 제시된 것들 모두가
하나같이 끔찍합니다.
그런데 이것은 실제 역사입니다.
부르주아 정치경제학자들이 미화하거나 생략하는
이 끔찍한 이야기들 없이는
산업자본의 시초축적을 해명할 수 없습니다.

테오도르 제리코, 〈메두사호의 뗏목〉, 1819.
노예무역은 돈만 벌게 해준 게 아니라 '대담한 모험정신'을 키워준 것인지도 모른다.
노예무역은 자본의 시초축적이었을 뿐 아니라 자본가정신의 시초축적이었다고도 부를 수 있다.
돈이 된다면 어떤 끔찍한 범죄도 용감한 모험으로 간주하는 정신이 탄생한 것이다.
그리고 이런 정신이 함양된 자본가라면 다음 세기에 공장에서
노동자를 노예처럼 부리는 게 이상할 것도 없을 것이다.

지금까지 우리는 노동자의 탄생에 대해 살펴보았습니다. 두 단계로 나누어서 고찰했는데요. 하나는 토지의 폭력적 약탈(인클로저) 과정에서 '포겔프라이 프롤레타리아'가 대규모로 창출된 것이고, 다른 하나는 '피의 규율'(피의 입법)을 통해 이들 프롤레타리아가 '임금노동자'로 전환된 것이었습니다. 이 과정은 국가폭력이라는 외적인 힘이 없었다면 결코 일어날 수 없었지요. 마르크스는 제24장 제4절(영어판 제29장)의 도입부에서 이 점을 다시 한번 환기합니다. 이 시기에 일어난 노동착취와 자본축적은 경제학적 방식이 아니라 '경찰적 방식'(polizeilich), 다시 말해 치안(공안)의 방식으로 이룩된 것이라고요.[김, 1017; 강, 997] 말하자면 경찰학이 경제학이었다고 하겠습니다.

◦ 자본가는 어디서 왔는가

이렇게 해서 '노동자의 탄생'에 관한 이야기를 마쳤고요. 이제 '자본가의 탄생'을 다룰 차례입니다. 제24장의 제4절부터 제6절까지(영어판은 제29~31장)에 해당하는 이야기인데, 제4절 첫 단락에서 마르크스는 이렇게 묻습니다. "도대체 자본가들은 어디서 유래한 것인가."

자본가들의 유래(Herkunft)를 어떻게 다룰 것인가. 우선, 나는 마르크스가 '자본가들의 유래'를 따로 물었다는 것에 의미를 부여하고 싶습니다. 즉 자본가의 유래와 노동자의 유래는 별개라는 거지요. 노동자와 자본가는 입자와 반입자처럼 생겨난 것이 아닙니다. 적어도 마르크스는 그렇게 설명하고 있지 않습니다. 노동자가 정립되면서 그 반정립으로 자본가가 탄생했다는 식으로 말하지 않는다는 겁니다. 곧이어 보겠지만 화폐의 흐름(화폐대중)은 노동의 흐름(인간대중)과는 다른 곳에서, 다른 방식으로 생겨났습니다. 노동자계급과 자본가계급은 한배에서 생겨난 적대적 쌍둥이가 아니라 서로 다른 배에서 생겨나 일련의 사건을 겪으며 적대적인 하나의 관계(자본관계) 속으로 말려들어간 존재라 할 수 있습니다.

다음으로, 마르크스는 자본가들의 유래 또한 단일한 것으로 보지 않습니다. 이 역시 곧이어 살펴볼 텐데요. 농업자본가, 산업자본가, 금융자본가 등은 서로 다른 사건 속에서, 서로 다른 경로로 형성됩니다. 동일한 산업자본가라 해도 유래가 다를 수 있습니다. 물론 어느 정도 시간이 흐르면 서로 합쳐지기도 하고 상호 전환되기도 합니다만 시초축적기에 자본가가 생겨나는 경로는 매우 다양합니다.

끝으로, 자본 내지 자본가의 '탄생'은 '변신'이기도 하다는 점을 이해할 필요가 있습니다. 새로운 존재의 출현은 '무'에서 '유', 즉 아무것도 없는 상태에서 무언가가 생겨난 것이 아니라, 사회적 배치의 변화로 기존의 어떤 것이 전혀 다른 것으로 변신한 것일 수 있습니다. 화폐의 흐름은 고대와 중세에도 있었고, 당연히 화폐자산의 축적도 자본주의적 생산양식이 출현하기 전에 나타났습니다. 대표적인 예가 '상인자본'과 '고리대자본'인데요. 이미 시리즈 4권에서 언급한 바 있고 곧

이어 다시 이야기하겠습니다만, 상업과 고리대를 통해 형성된 화폐자본은 과거에는 '자본'으로 기능하지 않았습니다. 오늘날에는 '상업'과 '금융'이 산업 발전의 필수 요소지만 고대나 중세 사회에서 상업과 고리대의 발전은 그 약탈적 성격으로 인해 산업을 황폐화하고 평민을 노예로 전락시키는 경우가 많았습니다(『성부와 성자』, 32~33쪽). 그런데 지배적 생산양식이 변화하면서, 즉 사회적 배치가 바뀌면서 기존의 상인자본과 고리대자본이 전혀 다른 기능, 말하자면 명실상부한 '자본'으로 기능하게 됩니다. 대상인과 고리대금업자들이 '자본가'로 변신하는 거죠. 이처럼 시초축적에는 새로운 축적만이 아니라 기존 축적의 성격 변화, 기존 존재의 변신이라는 의미도 담겨 있다고 하겠습니다.

◦ 농업자본가의 탄생

이제 자본가의 첫 번째 유형인 농업자본가의 탄생에 대해 알아볼까요. 여러 유형 중 농업자본가를 먼저 살펴보는 것은 노동자의 탄생과 관련해 먼저 살펴본 농촌의 변화와 관련이 있기 때문일 겁니다. 농업자본가는 자본가인 한에서 생산수단과 노동력을 구매해 상품을 생산하는 사람입니다. 이 점에서 그는 전통적 지주와 다릅니다. 그는 지주로부터 생산수단인 토지의 이용권을 얻고 지대를 지불하지요. 이 점에서 농업자본가의 역사적 형상은 '차지농업가'(Pächter)라고 할 수 있습니다. 그렇다면 자본주의적 차지농업가는 어떻게 출현했을까요. 마르크스에 따르면 이 유형은 극적으로 출현하지 않았습니다. "차지농업가의 발생은 몇 세기에 걸쳐 완만하게 진행"되었습니다.[김, 1017; 강, 997]

영국에서 차지농업가의 최초 형태는 베일리프(bailiff)입니다.[김, 1017; 강, 997] 베일리프는 영지관리인인데요. 프랑스와 달리 영국에서는 베일리프가 하나의 계층으로 존재했습니다.[51] 마치 기업의 CEO(Chief Executive Officer) 같다고 할까요. 봉건영주들은 이들에게 토지관리를 맡겼습니다. 그런데 14세기 후반 들어 베일리프가 차지농업가의 모습을 보이기 시작합니다. 처음에는 지위가 소작 농민들과 크게 다르지 않았지만 점차 높아져 나중에는 일정액을 투자하고 지주와 이익도 나누는 '분익농'(分益農) 즉 '메테예'(métayer)가 되었습니다.

그러나 이때까지는 '진정한' 의미의 차지농업가라 볼 수 없습니다. 신분적 예속도 있었고, 자본가에 대한 전형적 정의에도 미달했지요. 즉 이들은 "임노동자를 고용해 자신의 자본을 증식시키고 잉여생산물 가운데 일부를 화폐 또는 현물로 지주에게 지대로 지불하는 형태"에는 이르지 못했습니다.[김, 1018; 강, 997]

15세기까지는 여러 형태의 농민이 혼재했습니다. 독립적 자영농도 있었고 자기 경작지를 가진 예속농민도 있었고 농업노동자도 있었습니다. 이들은 부분적으로 차지농업가의 모습을 보이기도 했지만 자본주의에서 말하는 차지농업가와는 차이가 있었습니다. 그렇다면 무엇이 이들 불완전한 차지농업가를 본격적인 차지농업가로 변모하게 했을까요.

바로 15세기 말부터 16세기까지 거의 한 세기 동안 지속된 '농업혁명'(Agrikulturrevolution) 덕분입니다. 여기서는 '농업혁명'이라고 부르지만, 앞서 우리는 이것을 '폭력적 수탈 과정'이라고 불렀지요. 토지에 울타리를 두르고 공유지를 사유지로, 경작지를 목초지로 바꾸는 일이 일어났습니다. 이때 지주한테 땅을 빌려 그 땅을 상업적으로 이용해 재산을 모은 사람들이 나타났어요. 목축은 그 자체로 큰 수익을 안겼지만 간접적으로는 비료를 제공함으로써 경작지의 생산성 향상에도 기여했습니다.[김, 1018; 강, 998] 당시 지대는 관습적으로 고정되어 있었기에 토지의 상업적 이용과 농업생산성 향상으로 생겨난 이득은 온전히 차지농업가들의 몫이 되었지요. 한때는 지대를 내는 것조차 힘겨워하던 사람들이 지대의 수십 배를 모으는 일이 흔하게 일어났습니다.[김, 1018, 각주 1; 강, 998, 각주 227]

자본주의적 차지농업가의 탄생을 도운 사정은 또 있습니다. 마르크스가 "결정적으로 중요한 계기"라고 부르는 일인데요. 바로 16세기 내내 지속된 '화폐가치의 하락'입니다.[김, 1018; 강, 998] 가치척도인 귀금속의 생산량이 크게 늘면서(특히 신대륙으로부터 귀금속이 대규모로 유입되었습니다) 귀금속으로 표시된 상품의 가격이 몇 배씩 올랐습니다. 얼마나 물가가 크게 올랐던지 '가격혁명'이라 불렀을 정도입니다.[52] 서구에서 물가가 이렇게 지속적으로 크게 오른 적은 없습니다. 당대는 물론이고 그다음 세기 학자들 사이에서 커다란 논쟁거리가 될 정도였습니다(마르크스도 화폐의 기능과 관련해 이 문제를 다룬 바 있습니다. 『화폐라는 짐승』, 137쪽).

화폐가치가 하락하고 물가가 오르면서 농업노동자들은 큰 타격을 입었습니다. 명목적으로는 임금이 올랐지만 화폐가치가 하락한 탓에 실질임금은 낮았습니다. 지주들도 큰 타격을 입었습니다. 고정 지대를 받고 있었기 때문입니다. 노동자와 지주가 받은 타격만큼 차지농업가는 큰 이득을 보았습니다. 자신들이 지불해야 하는 임금과 지대의 가치는 떨어졌고, 농업생산물의 가격은 큰 폭으로 그리고 지속적으로 올랐으니까요.[김, 1018~1019; 강, 998]

이런 일이 한 세기가량 지속되었다고 생각해보세요. "16세기 말 영국이 당시 상황에서 부유한 '차지 농업자본가'(Kapitalpächter)라는 하나의 계급을 갖게 되었다는 건 결코 놀라운 일이 아니"라는 마르크스의 말을 충분히 납득할 수 있을 겁니다.[김, 1019; 강, 999]

◦ 시장에 풀려나온 것들—생활수단과 생산수단의 상품화

앞서 나는 시초축적기의 사건들이 누군가의 기획 속에서 일어난 일이 아니라고 했습니다. 마르크스의 말을 다시 인용하자면 '산업의 기사들'은 자신들이 관여하지 않는 일들을 그저 이용만 했을 뿐입니다. 즉 자본가가 자본가로 될 수 있었던 것은 '때'에 맞게 일들이 일어났기 때문입니다. 지주들은 토지를 수탈하고 대규모 노동인구를 농촌에서 추방했습니다. 갓 생겨난 매뉴팩처들을 돌보기 위해서가 아니라 그저 돈벌이에 방해되거나 불필요한 존재들을 쫓아낸 것뿐입니다. 그런데 식물이 방출한 산소로 동물이 숨을 쉬듯 도시의 산업자본은 농촌에서 계속 방출하는 프롤레타리아들을 흡수해 생명을 얻었습니다.

마치 누군가 조율이라도 한 것처럼 사건들이 착착 맞아떨어졌습니다. 18세기 경제학자 애덤 앤더슨(Adam Anderson)이 '신의 섭리'(Vorsehung)를 떠올린 것도 무리는 아닙니다. 마르크스에 따르면 앤더슨은 『상업의 역사』*History of Commerce*에서 지난 세기들을 회고하며 "신의 섭리가 직접 개입(direkte Intervention)"한 결과라고 했습니다. 그러지 않고는 이렇게 맞아떨어질 수가 없다는 거죠.[김, 1021; 강, 1000]

이것만이 아닙니다. 자본가에게 우호적인 상황은 계속되었는데요. '농업혁명'이 프롤레타리아만 생산한 게 아니라 매뉴팩처 노동자로서 이들이 소비해야 할 생활수단 그리고 작업장에서 사용할 생산수단(원료)도 생산해냈습니다. 경작자 수는 감소했지만 경작 방법이 개량되었고 무엇보다 농장들의 합병으로 생산수단 집적과 대규모 협업이 가능해졌습니다. 농업노동자들의 노동강도도 올라갔고요. 농민은 줄어들었지만 생산량은 오히려 늘어났습니다. 이는 농촌에서 자체 소비를 하지 않는 생산물들이 그만큼 많아진다는 뜻입니다. 농민대중이 토지에서 노동시장으로 풀려나온 것처럼 곡물 등도 시장에 풀려나올 수 있게 된 겁니다.[김, 1022; 강, 1000]

'시장에 풀려나온다'라고 했지만 실은 시장 자체가 형성되기 시작했다고 봐야 할 겁니다. 예전 농민들은 먹을 것을 직접 기르고 입을 것을 직접 짰습니다. 생활수단을 직접 생산하고 직접 소비했지요. 차지농장의 농업노동자도, 매뉴팩처의 공업노동자도 처음의 노동형태는 예전 농민과 다를 바 없었습니다. 예전 농민들처럼 먹을 것을 기르고 입을 것을 짰지요. 하지만 노동의 성격이 변했습니다. 이제는 '자신을 위한 노동'이 아니라 '타인을 위한 노동'입니다. 자기에게 필요한 물건을 만드는 게 아니라 타인이 원하는 물건을 타인이 원하는 방식으로 만드는 겁니다. 그 대가로 임금을 받게 되었고, 그 임금으로 자기에게 필요한 물건을 구입합니다. 이 시스템이 돌아가려면 임금으로 생활수단을 구입할 수 있는 시장이 열려야 합니다. 그런 시장이 바로 이 시기에 열린 겁니다.

생활수단만이 아닙니다. 매뉴팩처가 돌아가려면 생산수단 또한 구매할 수 있어야 합니다. 예전 농민들은 자신이 가공할 아마나 면화를 직접 재배했습니다. 하지만 이제 매뉴팩처 노동자가 가공할 아마나 면화는 자신이 재배한 것이 아닙니다. 자본가가 시장에서 구매한 것이지요. 농업혁명은 생활수단만이 아니라 생산수단, 즉 공업에 사용될 원료 또한 시장에 공급해주었습니다. 생활수단과 생산수단이 모두 상품이 된 거죠.[김, 1022; 강, 1000]

이렇게 해서 자본주의적 생산양식의 출현을 위한 결정적 걸음이 또 하나 내딛어졌습니다. 바로 시장의 형성입니다. 예전에는 농가들이 자체 생산하고 소비하거나, 분산된 소규모 독립생산자들이 해당 지역에서 생산하고 판매했던 물건들이 이제는 상품으로서 "하나의 커다란 시장"에 모여드는 겁니다.[김, 1024; 강, 1003]

한 사회의 생활과 생산에 필요한 대부분의 물건이 시장에서 판매할 목적으로 생산되며, 시장을 통해서만 그것을 구할 수 있다는 것, 그런 시장이 전국적으로 만들어지기 시작했다는 것, 이건 정말로 중요합니다. 『자본』 제1장에서 마르크스는 '단순 노동생산물'과 '상품'의 차이를 설명하는 데 심혈을 기울였는데요, 한 사회 노동생산물의 기본 형태가 상품으로 변화하는 장면을 지금 시초축적에 관한 장에서 보고 있는 겁니다.

노동생산물이 상품이 된다고 해서 당장에 노동형태나 생산방식이 달라지지는 않습니다. 생산물의 모습도 그대로고요. 마르크스의 말처럼, 이를테면 아마포 섬유는 "한 올의 조직도 변한 것이 없"습니다. 그러나 상품이 되면 초감각적인 무언가가 달라붙습니다. "하나의 새로운 사회적 영혼"이 들어가지요.[김, 1022; 강, 1001] '가치' 말입니다(『마르크스의 특별한 눈』, 52쪽과 104쪽).

이런 변화가 생산물인 아마포에서만 일어나는 건 아닙니다. 원료인 아마와 도구인 방추에서도 일어나지요. 시장에서

구매한 아마는 예전의 농민들이 밭에서 재배했던 그 아마와 똑같지만, 이제 노동자가 작업장에서 마주하는 아마는 '가치'가 담긴 상품이며, 자본가가 구매했다는 점에서 '불변자본'입니다.

아마와 방추만 그런 게 아닙니다. 노동도 그렇지요. 새로운 노동자는 과거 방식 그대로 실을 뽑고 천을 짜지만, 자본가의 구매 상품인 한 그의 노동력은 '가변자본'입니다. 그리고 가변자본인 한에서 그는 잉여노동을 수행해야 합니다. 물론 과거 농민이었을 때도 그는 필요 이상의 '특별한 노동'을 수행했을 수 있습니다. 겨우내 길쌈을 해서 아마포를 필요 이상으로 생산할 수 있지요. 대개의 경우 이것은 특별한 목적, 이를테면 왕에게 세금을 내기 위한 것입니다. 그런 게 아니라도 어떻든 그의 잉여노동은 그의 수입이 되지요. 그의 '특별한 노동'은 그의 '특별한 수입'입니다. 하지만 가변자본으로 기능하는 한에는 다릅니다. 그의 '특별한 노동'(잉여노동)은 더는 특별하지 않고 항상적인 것이며, 그의 수입이 아니라 자본가의 '이윤'이 됩니다.[김, 1022; 강, 1001]

앞서 말한 것처럼 시장이 형성되었다고 해서 노동형태나 생산방식이 곧바로 달라지는 것은 아닙니다. 초기 매뉴팩처의 경우 생산방식 자체는 특별하지 않았습니다. 규모만 커졌지 방식은 그대로였어요. 독립 분산되어 있던 것들을 한데 모아놓은 것뿐입니다. 마르크스는 초기 매뉴팩처를 길드와 비교하며, 매뉴팩처는 길드가 좀 더 커진 것에 불과하다고 말한 바 있습니다(『거인으로 일하고 난쟁이로 지불받다』, 64~65쪽).

마르크스는 여기서도 이 점을 다시 확인합니다. 대규모 매뉴팩처는 소규모 독립생산자들의 작업장을 합친 것에 불과하고, 대규모 차지농장은 소규모 농장의 경작지들을 합친 것에 불과하다고요. 용어가 이를 잘 보여줍니다. 프랑스에서는 대규모 매뉴팩처를 'manufactures réunies'라고 불렀는데요. 말 그대로 옮기면 '합병된 매뉴팩처'라는 뜻입니다. 대규모 농장이 '합병된 경작지'(zusammengeschlagnen Äckern)라고 불리던 것과 같지요. 즉 자본주의적 생산의 최초 형태라고 해서 무슨 대단한 혁신이 일어났던 게 아닙니다. 그저 작은 것들을 힘(사기나 횡령, 폭력)으로 합쳐 크게 만든 것뿐입니다.[김, 1023; 강, 1001~1002]

◦ 자본주의적 '국내시장'의 형성

이 시기에 시장이 형성되었다는 말이 이상하게 들릴지도 모르겠습니다. 고대 도시 아테네에도 시장이 있었고, 중세 도시에서도 길드의 생산물들이 공개시장에서 팔렸다고 했으니까요. 게다가 고대의 페니키아인들이나 중세의 한자 상인들을 보면 근대 이전에도 대외 교역망이 존재했음을 알 수 있습니다. 그렇다면 시초축적기에 시장이 형성되었다는 말은 틀렸을까요. 그건 아닙니다.

마르크스가 말한 시장은 'innern Markt'입니다. 우리말로는 '국내시장' 내지 '대내시장'으로 옮길 수 있겠는데요. 여기서 말한 '국내'나 '대내'라는 말을 공간적으로만 이해하면 안 됩니다. 예전에는 해외시장만 있었는데 이제 지역에도 시장이 생겼다는 식으로 보면 안 된다는 겁니다. 고대나 중세에도 도시에 시장이 있었습니다. 그러나 마르크스가 말한 '국내시장'은 완전히 다른 시장입니다. 시장이 열린 장소가 다른 게 아니라 운영 원리나 방식이 완전히 다릅니다.

이를 이해하려면 우선 시장의 발전에 대한 통념에서 벗어나야 합니다. 흔히들 시장이 지역에서 전국으로, 전국에서 해외로 발전했다는 생각을 하는데요. 이는 사실이 아닙니다. 칼 폴라니(Karl Polanyi)에 따르면 차라리 거꾸로 보는 것이 사실에 가깝습니다. 그에 따르면 교역 발달사의 "진정한 출발점은 원격지 교역(long-distance trade)"입니다.[53] 단순화하자면 대외적으로 발달한 교역 질서가 어떤 계기들을 통해 안쪽으로, 즉 지역까지 파고든 것이라는 말입니다(『화폐라는 짐승』, 48~53쪽).

그러나 한쪽 질서가 다른 쪽으로 확대되었다기보다는 양쪽을 나누던 장벽이 허물어지고 새로운 교역 질서가 만들어졌다고 보는 편이 낫지 않나 싶습니다. 중세 사회에서는 지역교역과 대외교역이 철저히 분리된 채로 병존했습니다. 폴라니에 따르면 이 분리는 중세 도시 제도의 핵심입니다.[54] 중세 도시들은 두 가지가 섞이지 않도록 엄격히 규제했습니다. 특히 원격지교역의 질서가 지역거래, 이를테면 도시 내부의 시장에 파고들지 않도록 했습니다.

도시 내부의 시장은 '공개시장'이었고, 여기서는 '자유로운 교역'이 아니라 '공정한 교역'을 원칙으로 삼았습니다. 당국이 교역의 양과 가격을 통제했습니다. 식량은 물론이고 일반 제품에 대해서도 그랬습니다. 제품 생산은 동업조합인 길드에서 통제했지요. 원칙적으로 외부 상인들은 거래할 수 없었고 내부 생산자들의 특권이 철저히 보장되었습니다.[55]

이것은 자본주의적 상품 시장이 아닙니다. 여기서는 상품의 가치법칙이 관철될 수 없습니다. 상품의 '가치'는 해당 상품을 생산하는 데 필요한 사회적 노동량이라고 했는데요. 이 값은 당국이 아니라 상품생산자들의 자유로운 경쟁을 통해 결정되어야 합니다. 그런데 중세 도시의 시장 구조에서는 이것이 불가능합니다. 오히려 중세의 도시들은 경쟁 시장의 형성을 철저히 막았습니다.

그러므로 자본주의적 '국내시장'은 중세 도시의 지역시장이 발전한 것이 아닙니다. 오히려 중세 지역 시장을 떠받치던 질서가 해체되면서 생겨났지요. 이것이 어떻게 해체되었는지에 대해 마르크스는 따로 언급하고 있지 않습니다. 어떻게 거대 차지농장의 생산물이 도시의 시장에서 상품으로 자유롭게 유통될 수 있었는지, 어떻게 매뉴팩처의 생산물이 길드의 특권을 깨고 시장에서 상품으로 자유롭게 유통될 수 있었는지, 어떻게 이런 시장이 만들어질 수 있었는지 말입니다.

아마도 이것을 가능케 한 것은 국가일 겁니다. 폴라니의 말을 빌리자면 "국가의 개입이라는 기계신(deus machina)으로 설명을 돌리는 것 외에 다른 대안이 없"습니다.[56] 이 시기 일어난 다른 일들처럼 말입니다. 국가는 농촌에서 방출된 프롤레타리아들을 매뉴팩처의 노동자로 만드는 데 결정적 역할을 했다고 했는데요. 대규모 농장에서 생산한 농산물과 대규모 매뉴팩처에서 생산한 공산품이 지역적 한계를 넘어 유통되는 데도 결정적 역할을 했다고 할 수 있습니다. 국내시장(internal market)이 만들어지고 그것이 전국시장(national market)이 되는 과정은 근대 영토국가가 만들어진 후 국민국가로 변화해 가는 과정과 나란히 갑니다.

근대국가의 발전 과정은 한편으로는 외부의 정복 과정이면서 다른 한편으로는 내부의 정복 과정이었습니다. 근대국가를 만든 것은 전쟁이었다고 말해도 좋을 정도로 이 시기에는 전쟁이 많았는데요. 페리 앤더슨(Perry Anderson)에 따르면 평화가 예외적이었습니다. 16세기 유럽에서 대규모 군사 작전이 없었던 것은 25년 동안이었고, 17세기에 국가 간 대규모 전쟁이 없었던 것은 7년간에 불과했습니다.[57] 그런데 전쟁을 수행하기 위해서는 영토 안의 자원을 최대한 끌어내야 합니다. 얼마나 내부 자원을 효과적으로 끌어내고 이용할 수 있느냐에 승패가 달려 있었지요.

국가는 내부 자원의 효과적 이용을 방해하는 봉건적 고립주의나 배타주의를 허물 수밖에 없었을 겁니다.[58] 당시 중상주의 이념을 표방하던 국가는 "국지교역과 대외교역의 장벽(지역의 교역과 자치도시들 간의 교역에 대한 구분)을 제거했을 뿐 아니라, 지방의 구별은 물론이고 도시와 농촌의 구별 또한 무시하는 전국시장을 위한 길을 텄"습니다.[59] 통치의 전국적 통일성이 만들어지는 것에 맞춰 시장도 확대된 거죠.

물론 전국시장은 너무 이른 이야기입니다. 시초축적기에는 마르크스가 말한 "자본주의적 생산양식이 필요로 하는 규모와 굳건함을 갖춘 국내시장"이 아직 만들어지지 않았습니다.[김, 1025; 강, 1003] 다만 그런 시장이 만들어지기 시작했다는 정도만 말할 수 있겠지요. 아직은 전국화되지 못한, 그리고 아직은 불완전한 경쟁 시장이었다고 할 수 있겠습니다.

마르크스도 이 점을 지적하고 있습니다. "이 시대에는 매뉴팩처가 국민적 생산을 아주 부분적으로만 지배"했습니다. 심지어 매뉴팩처의 생산물 자체가 도시 수공업이나 농가의 부업에 의존하고 있었습니다. 매뉴팩처에 필요한 원료의 가공을 이들이 맡고 있었지요. 공업 원료의 생산과 가공이 공업에서 해결되지 않은 것이지요. 이 시대에는 농민들이 공업 노동의 일부를 감당했던 셈입니다.[김, 1025; 강, 1003~1004]

19세기 전까지는 이런 구조가 계속 남아 있었습니다(점차 약화되고는 있었지만요). 시장의 질서는 기계제 대공업이 시작되면서 크게 변했습니다. 산업자본은 기계제 대공업과 더불어 생산 전반을 완전히 장악했고 국내시장 전체를 정복할 수 있게 되었지요.[김, 1026; 강, 1004~1005]

◦ 산업자본가의 탄생

이제 '산업자본가'의 탄생을 다룰 차례인데요. 여기서 말하는 산업자본가는 농업자본가(차지농업가)와 대비되는 공업자본가입니다. 하지만 『자본』에서 마르크스는 종종 이보다 더 큰 범주의 자본가를 가리킬 때도 이 이름을 씁니다. 그는 자본을 크게 세 범주로 나누는데요. 그중 하나가 '산업자본'이고 나머지가 '상업자본'(상인자본)과 '이자 낳는 자본'(금융자본)입니다. 산업자본이란 노동력과 생산수단을 구매해서 상품을 생산한 후 잉여가치를 얻는 자본입니다. 지금까지 『자본』 I권에서 다룬 자본의 기본 형태라고 할 수 있지요(참고로 상업자본과 이자 낳는 자본에 대해서는 『자본』 III권에서 다룹니다). 이런 의미라면 산업자본에는 농업자본이 포함되며, 농업자본가도 산업자본가라고 할 수 있습니다.

그렇지만 『자본』 제24장 제6절(영어판 제31장)에서는 이런 의미로 쓰고 있지 않습니다. 마르크스가 주석에서 밝히고 있는 것처럼 여기서 '산업'은 '공업'을 가리킵니다.[김, 1027, 각주 1; 강, 1005; 각주 238] 사실 지금도 '공업자본가'라는 말은 잘 쓰지 않습니다. 그냥 '산업자본가'라고 하지요. 방금 '공업자본가'라는 표현을 쓴 것은 농업자본가와 구분하기 위해서입니다. 마르크스의 경우에는 『자본』 I권에서 '공장주'(Fabrikant)라는 말을 많이 썼지요. 공장주가 여기서 말하는 산업자본가입니다.

『자본』에서 마르크스는 산업자본을 자본의 기본 형태로

간주했고 19세기 대공업을 그 전형으로 보았습니다. 그가 '산업자본가의 탄생'에 다른 자본가의 탄생보다 더 많은 지면을 할애한 이유가 여기 있을 겁니다. 하지만 산업자본가의 탄생 과정을 자세히 기술한 이유가 이것만은 아닙니다. 산업자본가의 탄생과 관련된 사건들을 보면 사회 전체가 급변하고 있음을 느낄 수 있습니다. 사건들이 비교적 짧은 시기에 아주 넓은 영역에 걸쳐 일어납니다. 이는 생산양식의 변동을 산업자본가의 탄생을 통해 잘 보여줄 수 있다는 뜻이지요.

물론 새로운 생산양식이 하루아침에 출현하는 것은 아닙니다. 상당히 오랜 시간이 걸리지요. 어떤 부문에서는 이미 변화가 시작되었지만 다른 부문에서는 아무런 변화도 나타나지 않을 수 있고, 어떤 시기에는 변화가 급격하지만 어떤 시기에는 완만합니다. 변화의 속도와 폭이 제각각입니다. 그런데 산업자본가의 탄생 과정에서 확인하게 되는 사회적 변화의 폭과 속도는 가히 격변이라 불러도 좋을 정도로 크고 빠릅니다.

이 점에서 산업자본가의 탄생은 자본주의적 차지농업가의 탄생이나 국내시장의 형성과는 아주 다릅니다.[김, 1027; 강, 1005] 차지농업가와 국내시장은 아주 천천히 생겨났습니다. 차지농업가는 14세기에 싹을 보인 후 수 세기에 걸쳐 성장했습니다. 국내시장도 그렇습니다. 15~16세기 농업혁명 시기에 싹이 터서 19세기 대공업 시기에 전국화되었으니까요. 그런데 산업자본가의 탄생은 그렇지 않습니다. 마치 온실 속 식물처럼 싹이 트자마자 쑥쑥 자라났습니다.

자본주의의 유년기에는 여기저기서 다양한 유형의 자본가가 많이 생겨났습니다. 농촌에 차지농업가가 있었다면 도시에는 소규모 제조업자들이 있었지요. 길드의 장인이나 독립수공업자, 심지어 임금노동자들 중에도 '소자본가'가 된 사람들이 있었습니다. 새로운 돈벌이에 남들보다 조금 일찍 눈을 뜬 사람들이지요. 하지만 이런 소자본가들의 축적, 마르크스의 표현을 빌리자면 이런 '달팽이걸음'으로는 "15세기 말 지리상의 대발견이 만들어낸 새로운 세계시장의 상업적 요구들에 대응할 수 없"었습니다.[김, 1027; 강, 1005]

지난 책에서 마르크스는 자본집중을 가능케 한 신용제도의 중요성을 언급하며, "만약 세계가 축적을 통해 개별 자본들이 철도를 건설할 수 있을 만한 규모가 될 때까지 기다려야 했다면 세계에는 아직 철도가 건설되지 않았을 것"이라고 했는데요(『노동자의 운명』, 87쪽). 비슷한 이야기를 시초축적에 대해서도 할 수 있을 겁니다. 만약 세계시장이 자본주의 유년기의 소자본가들의 축적 규모가 커지는 것을 기다려야 했다면 본격적 의미의 세계시장은 아직도 열리지 못했을 것이라고요.

자본주의 이전에도 돈을 쌓아둔 사람이 없었던 것은 아닙니다. 앞서도 언급했지만 중세에도 대상인과 고리대금업자들이 있었습니다. 하지만 이들은 자본가로 발전하지 않았습니다. 역사적으로 보면 상업자본과 고리대자본의 발전이 자본주의적 생산양식으로의 이행, 특히 산업자본의 형성을 가로막는 경우가 더 많았습니다. 마르크스에 따르면 근대사회로 접어들수록 상업도시는 낙후되었습니다. "상업자본이 우세한 곳은 시대에 뒤떨어"졌고, "공업도시에 비해 훨씬 더 과거와 유사"했습니다.[60] 영국의 근대사에서도 "상인 신분과 상업 도시는 정치적으로 반동적이었으며, 토지귀족이나 금융귀족과 동맹하여 산업자본에 대항"했습니다.[61]

설령 상인이나 고리대금업자가 자신들의 화폐자산을 자본으로 전환시키려 해도 사회적 배치 때문에 쉽지 않았을 겁니다. "농촌에서는 봉건제도 때문에, 도시에서는 길드제도 때문에", 다시 말해 중세 사회의 폐쇄성과 배타성이 화폐와 상품의 흐름을 차단하고 있었으니까요. 특히 도시에서는 길드의 규제가 아주 심했습니다. 그래서 새로운 매뉴팩처들은 도시 바깥에, 즉 길드의 지배권이 미치지 않는 곳에 세워졌지요. [김, 1028; 강, 1006~1007]

요컨대 산업자본가는 자본주의 유년기의 소자본가들이 꾸준한 축적을 통해 도달할 수 있는 존재도 아니고, 대상인이나 고리대금업자가 그렇게 되기로 마음먹는다고 될 수 있는 존재도 아니었습니다. 산업자본가의 탄생을 가능케 한 축적은 개인 차원이 아니라 사회적 차원의 변동, 사회적 배치를 뒤흔드는 혁명적 사건들을 필요로 했습니다.

도대체 어떤 일들이 있었던 걸까요. 마르크스의 대답은 이렇습니다. "아메리카에서 금은 산지 발견, 원주민 섬멸, 노예화, 광산에 생매장, 동인도의 정복과 약탈의 개시, 아프리카 흑인 사냥의 상업화 등이 자본주의적 생산 시대의 서광을 알린다. 이러한 목가적 과정이 시초축적의 주요 계기들이다." [김, 1029; 강, 1007]

발견, 약탈, 섬멸, 사냥, 생매장, 노예화. 산업자본의 시초축적 계기로 제시된 것들 모두가 하나같이 끔찍합니다. '목가적 과정'이라는 반어적 표현 때문에 그 끔찍함이 배가되는 것 같습니다. 아름다운 음악을 배경으로 학살이 이루어지는 잔혹한 영화 같다고 할까요. 그런데 이것은 실제 역사입니다. 부르주아 정치경제학자들이 미화하거나 생략하는 이 끔찍한 이야기들 없이는 산업자본의 시초축적을 해명할 수 없습니다.

이 시초축적의 계기들은 "시간 순으로 에스파냐, 포르투갈, 네덜란드, 프랑스, 영국에서 고르게 나타났"습니다.[김, 1029; 강, 1007] 이 순서는 자본주의 이행 과정에서 패권을 차지한 순서입니다. 대체로 15~16세기는 에스파냐의 세기(자본을 제공한 이탈리아 도시들의 이름을 따서 '베네치아/제노바의 세기' 등으로 부르기도 합니다), 17세기는 네덜란드의 세기, 18세기 중반 이후부터는 영국의 세기였다고 할 수 있습니다. 방금 말한 시초축적의 계기들은 정도의 차이는 있지만 이들 나라 모두에서 나타났습니다. 다만 영국이 가장 체계적이었지요. 마르크스에 따르면 17세기 말 영국은 "식민시스템(Kolonial-system), 국채시스템(Staatsschuldensystem), 근대적 조세시스템(Steuersystem), 보호무역시스템(Protektionssystem) 등을 통해" 시초축적의 "계기들을 체계적으로 통합"했습니다. 이 시스템들을 체계적으로 갖춘 나라는 당시 영국밖에 없었습니다. 그 덕분에 산업자본주의를 주도하는 나라가 되었지요.[김, 1029; 강, 1007]

이제부터 산업자본의 시초축적기에 일어난 일들을 살펴볼 텐데요. 시초축적을 도운 네 가지 시스템, 즉 식민시스템, 국채시스템, 조세시스템, 보호무역시스템 등이 어떻게 생겨나고 어떻게 기능했는지를 볼 겁니다. 그런데 그 전에 마르크스는 중요한 한 가지 사실을 환기하고 있습니다. 노동자의 탄생에서도 말한 것인데요. 산업자본가의 탄생에서도 매우 중요한 역할을 한 것이 있습니다. 바로 '폭력'(Gewalt)입니다. 특히 국가폭력이 중요한 역할을 했습니다.

마르크스에 따르면 시초축적을 도운 방법들은 "모두 국가권력(Staatsmacht)을 이용"했습니다. "봉건적 생산양식에서 자본주의적 생산양식으로 전화하는 과정을 촉진해 이행을 단축시키기 위해" 국가권력을 이용한 겁니다. 국가권력이라는 "사회의 응집되고 조직화된 폭력"이 없었다면 생산양식의 이행은 매우 늦춰졌을 것이고, 어쩌면 이 이행은 일어나지 않았을지도 모릅니다. 새로운 생산양식이 국가의 아이는 아닙니다. 그러나 국가권력이라는 산파가 없었다면 아이가 제대로 태어날 수 있었을까. 그럴 수 없었을 겁니다. 마르크스는 이렇게 말하고 있습니다. "새로운 사회를 잉태하고 있는 모든 낡은 사회에서는 폭력이 산파가 된다. 폭력은 그 자체로 하나의 경제적 힘(Potenz)이다."[김, 1029; 강, 1007]

∘ 시초축적을 도운 네 가지 시스템

○식민시스템——자본의 출산을 도운 네 가지 시스템이 있는데요. 첫 번째가 식민시스템입니다. 넷 중 가장 잔인한 폭력이 동원되었지요. 서구 국가들이 시초축적기에 비서구 국가를 식민화하면서 저지른 일들은 믿기지 않을 정도로 잔인합니다.

17세기 가장 선진적인 자본주의 국가였던 네덜란드(홀란드)가 식민지에서 저지른 일을 볼까요. 마르크스는 인도네시아 자바의 부총독이었던 토머스 스탬퍼드 래플스(Thomas Stamford Raffles)의 『자바의 역사』를 인용하고 있습니다(『거인으로 일하고 난쟁이로 지불받다』, 204쪽도 참조). 이 책에는 네덜란드의 식민시스템이 어떻게 운영되었는지를 보여주는 사례들이 많은데요. 매수, 배신, 암살, 비열함으로 가득합니다.[김, 1030; 강, 1008]

그 잔학성을 보여주는 극명한 예가 '인간도둑질'(Menschendiebstahl)입니다. 자바에서 쓸 노예를 구하기 위해 네덜란드인들은 술라웨시(Sulawesi, Celebes)섬에 들러 주민들을 사냥했습니다. 인간사냥꾼들은 어린 사냥감이라고 해서 그냥 풀어주지 않았지요. 비밀 감옥을 만들고 거기서 어린 소년들을 가축처럼 길렀습니다. 좀 더 기르면 노예선에 실어 보낼 수 있는 상품이 되니까요.[김, 1030; 강, 1008] 자바의 한 지역인 바뉴완기(Banyuwangi)의 경우 1750년 8만 명 이상이 살았다고 하는데요. 겨우 반세기 만에 8000명만이 남았습니다. 인구의 90퍼센트가 사라진 겁니다. 노예로 팔렸거나 죽은 거겠지요. 이것이 네덜란드인들이 엄청난 이윤을 챙긴 '달콤한 장사'(doux commerce)의 정체였습니다.[김, 1030; 강, 1009]

네덜란드만이 아니라 서구의 여러 나라가 세계 곳곳에서 비슷한 일을 저질렀습니다. 특히 "서인도제도처럼 수출무역만을 목적으로 설립된 플랜테이션의 경우, 그리고 멕시코나 동인도제도처럼 풍부한 부와 많은 인구를 가졌으면서 살인강도들의 손에 넘겨진 경우" 원주민들에 대한 처참한 폭력이 가해졌습니다.[김, 1031~1032; 강, 1010]

다음 세기의 주인공인 영국인들도 그랬습니다. 영국의 개신교도, 특히 청교도는 아메리카에서 원주민들을 잔인하게 학살했습니다. 자바의 네덜란드인 사냥꾼들과는 조금 달랐습니다. 영국의 청교도들은 원주민들의 땅을 자신들의 영토로 만든 뒤 법을 제정하고 학살을 합법화했지요. 말하자면 합법적 학살의 형식을 취한 겁니다. 이를테면 1703년 뉴잉글랜드의 의회는 원주민 머리가죽 한 장에 40파운드스털링의 포상금을 걸었고, 1744년 매사추세츠에서는 특정 종족의 남자는 물론이고 여자와 어린아이의 머리가죽에까지 포상금을 걸었습니다. 나중에 아메리카로 간 이주민들이 독립전쟁을 벌이자(미국독립전쟁) 본국의 영국인들은 원주민들로 하여금 청교도들에게 똑같이 복수하도록 매수하고 사주했는데요. 당시 영국의회는 '사냥개'를 풀고 '머리가죽'을 벗기는 것에 대해 "신과 자연이 선사한 수단"이라고 선언했다고 합니다.[김,

1032; 강, 1010]

직접적 인간사냥과 학살 이상으로 식민지인들을 죽음으로 내몬 것은 경제적 착취였습니다. 영국의 동인도회사는 식민지 인도에서 큰돈을 들이지 않고도 어마어마한 부를 축적했습니다. 주요 상품을 독점했으니까요. 마르크스에 따르면 "소금, 아편, 후추와 그 밖의 몇몇 상품에 대한 독점권은 결코 고갈되지 않는 부의 광산"이었습니다. 식민지를 통치하는 총독부의 힘을 빌려 계약서 단 한 장으로 "무에서 황금을 만들어"냈습니다. 연금술도 이런 연금술이 없습니다. "거대한 재산이 하룻밤 사이에 버섯처럼 돋아났"지요. "단 1실링의 투자도 없이 시초축적이 이루어진" 겁니다.[김, 1031; 강, 1009]

마르크스는 한 재판 기록을 참조하는데요. 동인도회사의 한 직원이 4만 파운드스털링에 팔아넘긴 어느 지역 아편에 대한 독점권이 몇 차례 양도를 거쳐 마지막 구매자에게 9년간 600만 파운드스털링을 벌게 해주었다는 이야기입니다.[김, 1031; 강, 1009] 아편에 대한 독점권이란 아편을 재배하는 인도인들을 독점적으로 수탈할 권리입니다. 영국의 식민지 권력이 그 권리를 만들어냈고 영국 자본가들이 그것을 헐값에 사들여 인도인들을 수탈하고 부를 축적했던 겁니다.

그런데 이 아편은 인도인만 수탈한 게 아닙니다. 지난 책에서 언급한 것처럼 영국인들은 인도에서 재배한 아편을 중국에 팔았습니다. 식민지 정부의 수입 중 7분의 1이 중국에 대한 아편 수출에서 나왔을 만큼 규모가 컸습니다(『자본의 꿈 기계의 꿈』, 236쪽). 인도인들로 하여금 죽음의 상품인 아편을 재배하게 했고 그것을 중국인들로 하여금 소비하게 했습니다. 군대를 동원하고 군함을 동원했지요(아편전쟁). 아편을 재배하면서, 그리고 아편을 소비하면서 얼마나 많은 생명이 사라졌는지 모릅니다. 총탄을 맞고 쓰러진 사람도 많았지만 상품으로 인해 쓰러진 사람은 더 많았을 겁니다.

영국인들은 아편이 아니라 곡물로도 사람을 죽였지요. 사람은 피를 흘려서만 죽는 게 아니라 굶주림으로도 죽습니다. 마르크스에 따르면 영국인들은 1769~1770년 인도에서 쌀을 매점한 뒤 가격을 터무니없이 높였습니다. 그 결과 영국인들은 엄청난 수익을 올렸지만 인도인들은 대기근에 시달렸지요.[김, 1031; 강, 1009] 1866년에도 비슷했는데요. 그때 인도의 오리사주(州)에서만 100만 명 이상의 인도인이 굶어 죽었다고 합니다.[김, 1031, 각주 6; 강, 1009, 각주 243]

어떻게 서구의 자본이 짧은 시간에 이렇게 커질 수 있었는가. 돈을 들이지 않고 부를 쌓는 방법이란 별 게 없습니다. 소소하게는 이런저런 방법이 있겠지만 크게 보면 모두가 사기나 약탈이죠. 식민시스템은 자국 안에서는 불가능한 규모의 약탈을 가능하게 했습니다. 국가폭력이 시초축적의 본질적 계기라고 했는데요. 서구의 국가폭력이 타 국민, 특히 다른 대륙의 원주민들에게 자행한 짓은 상상을 초월합니다. 자본주의를 낳은 유럽의 내적 계기는 유럽 바깥에서 일어난 일에 비하면 정말로 아무것도 아닙니다. 자본주의의 기원을 서구인들의 독특한 심성이나 윤리에서 찾는 사람이 많은데요. 이것들이 비서구 사회에서 어떻게 발휘되었는가를 보면 기겁하지 않을 수 없습니다.

마르크스에 따르면 "유럽 바깥 지역에서의 약탈과 노예화, 살인강도 등을 통해 획득한 재물들은 곧바로 본국에 유입되어 자본으로 전화"되었습니다.[김, 1032; 강, 1010] 동인도회사와 같은, 국가가 뒷받침해주는 독점 무역회사들이 지렛대 역할을 해주었지요. 식민시스템은 단지 부만 늘려준 게 아닙니다. 유럽 내에서 자본축적을 도울 다른 시스템들의 발전을 촉진했습니다. 식민시스템 덕분에 유럽의 매뉴팩처들은 거대하고도 확실한 판매시장을 얻었습니다. 산업이 겨우 싹을 틔우기 시작한 시대에 식민시스템이 산업을 위한 온실이 되어준 셈이지요. 이뿐이 아닙니다. 식민시스템은 상업과 항해를 발전시켰고, 무엇보다 독점 무역회사에 자본을 투자할 수 있는 시스템 즉 신용제도의 발전을 가져왔지요.[김, 1032~1033; 강, 1010~1011]

○국채 혹은 공채 시스템——국채란 말 그대로 국가채무입니다. 국가가 빚을 낸 것이지요. 매뉴팩처 시기 서구 여러 국가가 국채를 발행했습니다. 앞서 국내시장의 형성 과정을 설명하면서도 언급했지만 당시 유럽에서는 크고 작은 전쟁이 끊이지 않았습니다. 17세기부터는 전쟁이 거의 상례화되다시피 했고 규모도 매우 커져 영국과 프랑스처럼 큰 나라들도 전비(戰費)

충당이 쉽지 않을 정도였습니다(전면전이 없던 해에도 식민지와 해상무역망을 차지하려는 쟁투가 계속되었지요).

페리 앤더슨에 따르면 17세기 중엽 유럽 국가들이 지출한 돈 중 압도적으로 많은 부분이 전쟁 준비나 수행에 바쳐졌습니다. 그리고 이런 지출 구조는 꾸준히 이어졌습니다. 유럽이 비교적 질서 잡히고 평화롭던 프랑스혁명 직전에도 "프랑스 재무총감 네케르는 국가 지출의 3분의 2가 군대에 할당되었다고 했을" 정도입니다.[62] 전쟁에서 승리하기 위해서는 가능한 많은 돈을, 가능한 짧은 시간에, 가능한 적은 비용으로 조달해야 하는데요. 이때 고안된 자금 동원 방법이 국채입니다.[63]

군주가 돈을 조달하는 대표적인 방법은 세금입니다. 그러나 예산 개념도 분명치 않고 조세징수시스템도 제대로 갖추지 못한 19세기 이전 국가들로서는 무리입니다. 급히 돈이 필요한 경우 조세는 별 도움이 안 됩니다. 그렇다면 해결책은 하나죠. 돈을 빌리는 겁니다. 세금이 들어오면 나중에 주기로 하고 우선 금융업자나 대상인으로부터 돈을 빌리는 겁니다. 이것이 일종의 '적자예산'인 '국채' 내지 '공채'의 원리죠.

국채는 고대에는 전혀 알려지지 않은 개념이었습니다. 국가가 국민에게 빚을 낸다는 발상을 떠올리기가 어려웠을 테지요. 중세에는 왕위 계승의 불확실성과 정부의 취약성 때문에 제도화할 수가 없었고요.[64] 이 제도의 초기 형태는 마르크스의 말처럼 제노바와 베네치아, 피렌체 등 중세 이탈리아

도시들에서 발견됩니다.[김, 1033; 강, 1011] 13세기부터 이탈리아 도시들이 상업적으로 크게 번영했는데요. 이때 원격지 교역에 필요한 돈을 마련하는 금융기법(어음, 채권 등)을 개발한 금융업자와 상인 들이 나타났습니다. 이들은 유럽의 여러 도시에 회사(companies)를 설립하고 환전 및 대부 업무를 수행했습니다. 반(半)은 상업을, 반(半)은 은행업을 수행하는 회사들이었지요.[65]

이들은 군주에게도 대부를 해주었는데요. 자신들의 거래에 군주들의 보호가 필요했기 때문이죠. 이를테면 피렌체 상인들은 13~14세기에 영국 에드워드 1세의 웨일스 정복, 에드워드 2세의 스코틀랜드 정복, 그리고 에드워드 3세가 프랑스와 치른 백년전쟁에 돈을 댔습니다(결국 에드워드 3세가 채무를 갚지 않음으로써 치명타를 입었지요).

16세기 후반에는 제노바인들이 에스파냐 국왕에 대한 대부 업무를 맡았습니다. 당시 에스파냐는 대규모 용병을 동원해 네덜란드와 전쟁을 벌였는데요('네덜란드독립전쟁' 혹은 '80년전쟁'이라고 부릅니다). 이 자금을 제노바인들이 댔습니다. 이들은 에스파냐 정부에 자금을 대부하고, 에스파냐 정부가 발행한 '아시엔토'(asiento)라는 증서를 받았는데요. 아메리카에서 에스파냐로 들어오는 은에 대한 권리를 인정한 일종의 어음(채권)이었습니다. 이들은 이 증서를 유통시켜 막대한 수익을 올렸지요. 국가에 대한 채권을 이용한 수익모델을 만들어낸 겁니다.[66]

17세기 네덜란드에서 국채 등의 신용제도는 더욱 발전했습니다. 17세기 초 암스테르담에는 증권시장이 처음 생겨났습니다. 과거 이탈리아 도시에도 주식, 채권, 선물 등의 거래가 없었던 것은 아닙니다. 하지만 암스테르담 거래소의 "거래량, 유동성, 공공성, 투기의 자유 등"은 완전히 새로운 수준이었습니다. '튤립 광기'(tulip mania)와 같은 투기 사건들, 말 그대로 "투기를 위한 투기" 사건들이 계속해서 일어났습니다.[67] 벼락부자들이 여기저기서 생겨났지요. 그런데 이 시기 거래소에서 가장 활발하게 거래되던 품목이 공채 증서나, 정부가 독점권을 인정한 동인도회사의 주식이었습니다.[68]

18세기로 접어들면 영국 런던에서 비슷한 일들이 일어납니다. 1694년에 잉글랜드은행이 만들어지고 1695년부터는 왕립거래소(Royal Exchange)가 개장합니다. 여기서는 "공채, 동인도회사 주식, 잉글랜드은행 주식" 등이 거래되었지요.[69] 국가가 지급을 보증하는 채권, 국가가 그 독점권을 인정하는 회사 및 은행의 주식들이 거래의 기본 품목이었습니다. 브로델에 따르면 "재무성 증권, 해군 공채 그리고 50여 개의 회사들(이 중에는 잉글랜드은행, 그리고 1709년 전체적으로 조직된 후 이 분야의 선두를 지킨 동인도회사도 있다)의 주식도 모두 투기의 대상"이었습니다.[70]

'자본집중'의 '강력한 지렛대'인 '신용제도'가 이 시기에 만들어질 수 있었던 것은 신용제도의 본질인 '믿음' 문제가 해결되었기 때문입니다(『노동자의 운명』, 81쪽). 국가권력이 보증자로 나섰으니까요. 근대 국가시스템이 안정화되자 국채는 가장 믿을 만한 거래 품목이 되었습니다. 마르크스는 이를 기독교 신앙에 빗대어 이렇게 말하고 있습니다. "공적신용(öffentliche Kredit)은 자본의 사도신경(Credo)이다. 국채의 탄생과 더불어 국채에 대한 불신은 성령에 대한 결코 용서받을 수 없는 죄악으로 간주된다."[김, 1033; 강, 1012]

사실 국채를 산 사람은 "아무것도 주지 않은 것"과 같습니다. 형식으로는 자신의 돈을 국가에 빌려주고 채권 증서를 받았지만, 이 채권 증서 자체를 현금처럼 유통시킬 수 있었기 때문에 돈은 수중에 그대로 있는 것과 같습니다. 국가에 빌려준 사람은 이 증서를 판매할 수 있었고 이 증서로 지불할 수도 있었습니다. 자산을 빌려주었다고 자산이 줄어든 게 아닙니다. 단지 자산의 형태가 바뀐 것뿐이지요. 게다가 안정적 수익률까지 보장되었으니 더할 나위 없이 좋습니다. 이 시기 국채는 그 자체로 돈일 뿐 아니라 매년 일정 비율로 자식을 낳는 돈, "생식력을 부여받은 돈"이었습니다.[김, 1033; 강, 1012]

마르크스가 "공채가 시초축적의 가장 강력한 지렛대 가운데 하나"라고 말한 것은 이런 이유입니다.[김, 1033; 강, 1012] 공채 내지 국채는 투기로 한몫을 챙긴 벼락부자들도 낳았지만, 장기적으로 자본축적의 지렛대 역할을 하는 신용시스템 구축에 결정적 역할을 했습니다. 국채 덕분에 "주식회사와 갖가지 양도성 유가증권의 거래, 주식 거래" 제도가 성립할 수 있었으니까요.[김, 1034; 강, 1012]

국채는 '근대적 은행체제(Bankokratie)' 성립에도 결정적 공헌을 했습니다. 마르크스는 "국립이라는 견장을 단 대은행들은 그 출발부터 사적 투기업자들의 회사에 지나지 않"았다고 했는데요.[김, 1034; 강, 1012] 잉글랜드은행이 그랬습니다. 잉글랜드은행은 나라 이름을 달았지만 실상은 런던 상인들이 만든 주식회사였습니다. 1688년 아우크스부르크전쟁(9년 전쟁)이 발발했는데요. 이때 런던상인조합이 국왕에게 120만 파운드스털링을 8퍼센트 이자를 받기로 하고 대부해주었습니다. 그런데 앞서 말한 것처럼 이들의 자산은 수중에 그대로 있었습니다. 120만 파운드스털링짜리 채권 증서를 손에 쥐게 되었으니까요. 이들은 이것을 자본금으로 삼아 잉글랜드은행을 세웠습니다.

런던 상인들은 다른 특권도 얻었습니다. 잉글랜드은행은 자체 은행권을 발행하고, 상업어음을 할인하고, 대부 업무도 할 수 있는 권리를 보장받았지요. 처음에는 권리를 12년 한도로 부여받았지만 시한이 계속 연장되었고 18세기 중반부터는 사실상 영구적으로 인정받았습니다. 잉글랜드은행은 발권, 예금, 계좌이체, 대부 업무를 모두 수행했습니다. 그러자 잉글랜드은행의 은행권이 공식 화폐처럼 통용되기 시작했지요(최종적으로 '1844년 은행법'을 통해 중앙은행이 되었고 이 은행권이 국민통화가 되었습니다).[71] 국가에 빌려준 돈의 이자를 받으면서 그 증서를 기반으로 더 많은 수익을 창출한 겁니다. 잉글랜드은행은 나중에는 자신이 찍어낸 돈으로 국가에 대부를 했고,

국가의 공채에 대한 지불 업무까지 대행했습니다.[김, 1034; 강, 1012~1013]

국가와 관련된 돈의 출입이 모두 잉글랜드은행의 손아귀에 있는 겁니다. 18세기 중반부터 영국 정부는 안정적 국가재정시스템을 바탕으로 공채를 저리의 장기대부 형태로, 더 나아가 아예 영구공채(Consol) 형태로 전환했습니다.[72] 원금 상환 기간을 따로 명시하지 않은 채 이자만 정기적으로 지불하는 겁니다. 이런 영구공채는 국가에 대한 신뢰가 확고하지 않으면 불가능합니다. 그런데 영국의 국채는 매년 수익이 확실히 보장된 안정적 자산으로 인정받았고 매우 인기 있는 금융상품이 되었습니다.

국가로서는 돈이 필요할 때마다 은행에서 가져다 쓰면 되었습니다. 언제든 빚을 질 수 있습니다. 잉글랜드은행이 채권자였고, 이 은행이 유통시킨 채권을 소유한 자산가들이 채권자였습니다. 그렇다면 국가가 진 빚은 누가 갚았을까요. 채권자들에게 안정된 수익을 제공한 사람은 누구일까요. 왕이 돈을 빌렸으니 왕이 허리띠를 졸라매 돈을 갚았을까요. 그렇지 않습니다. 국가의 채무란 사실 국민의 채무입니다. 영구공채란 영구채무인데요, 그 채무를 갚아야 하는 존재는 국민이지요.

그래서 마르크스는 윌리엄 코빗(William Cobbett)의 말을 빌려 이렇게 씁니다. "영국에서 모든 공공기관은 '왕립'(Royal)이라는 명칭을 갖고 있으나 그들의 채무는 모두 '국민의'

(national) 채무(debt)다."[김, 1033, 각주 7; 강, 1011, 각주 243a] 잉글랜드은행을 가리켜 마르크스가 "국민에 대한 영원한 채권자"라고 부른 것도 같은 이유입니다.[김, 1034; 강, 1013] 잉글랜드은행만이 아니지요. 당시 국채를 소유한 모든 패거리가 국채를 통해 국민을 빚쟁이로 만들고 그로부터 안정적 수익을 올렸습니다. 국가가 국민으로부터 이자를 뜯어내 이들 자산가에게 전달한 셈입니다. 국채와 은행의 설립, 조세가 맞물린 대단한 수익모델이었다고 할 수 있지요. 지난 책에서 썼던 표현을 다시 옮겨 오자면 이렇습니다. "권력자는 돈을 쓰고, 백성은 돈을 갚고, 자본가는 돈을 번다"(『화폐라는 짐승』, 147쪽).

○조세시스템——국채시스템은 조세시스템과 연결되어 있습니다. 국채이자는 국고수입에서 나와야 하는데 국고수입이란 주로 세금일 수밖에 없으니까요. 국채시스템이 원활히 작동하려면 조세시스템이 정비되어야 합니다. "근대적 조세시스템은 국채시스템의 필수적 보완물"이죠.[김, 1035; 강, 1013]

국채는 조세에 대한 반발을 누그러뜨릴 수 있는 방책이기도 했습니다. 전쟁을 위해서든 사치를 위해서든 돈이 필요할 때마다 세금을 걷어 갔다면 저항이 컸을 겁니다. 그러나 일단 국채를 팔아서(돈을 빌려서) 지출한 뒤 시차를 두고 조금씩 증세하면 납세자들이 곧바로 알아차리지 못합니다.[김, 1035; 강, 1014]

조세 반발을 누그러뜨릴 방법은 또 있습니다. 간접세(소비세)를 걷는 겁니다. 생활수단에 과세를 하는 거죠. 17세기 스웨덴의 한 재상의 표현을 빌리자면 소비세는 "반란을 부추기지 않는 세금"으로 군주들에게 인기가 높았다고 합니다.[73] 이 점에서도 영국 정부는 탁월했는데요. 18세기 말 영국 국민들의 세금 부담은 프랑스의 경우보다 훨씬 높았지만 반발은 크지 않았습니다. 일부 학자에 따르면 그건 소비세 같은 간접세 비중이 높았기 때문입니다.[74]

그러나 어떤 편법을 써도 증세는 불가피합니다. 근대국가들은 채무를 지는 방식으로 지출 문제를 해결해왔습니다. 이는 지출할 때마다 채무가 누적된다는 뜻입니다. 그리고 채무의 누적은 과세의 증대로 이어질 수밖에 없지요. 근대적 재정의 원리 안에 증세가 내재해 있는 겁니다. 그래서 마르크스는 이렇게 말합니다. "과중한 세금은 우연한 것이 아니라 과세의 원칙이다."[김, 1036; 강, 1014]

과중한 세금은 특히 "농민이나 수공업자들 요컨대 소규모 중간계급의 구성원들"에게 파괴적 영향을 미칩니다. 마르크스는 시초축적기에는 이 부분에 주목해야 한다고 말합니다. 조세제도가 중간계급의 몰락을 초래했다는 것 말입니다. [김, 1036; 강, 1014] 국가는 전쟁을 벌이고 상업적 패권 경쟁을 벌였으며 식민지를 개척했습니다. 관료제를 비롯해 각종 기구와 제도도 정비했습니다. 이 모든 일에는 돈이 드는데요. 국가는 국채시스템으로 이 문제를 해결했습니다. 그런데 국채시스템이란 조세시스템을 통해 채무를 민중들에게 전가하는 것에 다름 아닙니다. 자본가는 국채시스템에서 큰돈을 벌었지만 중간계급은 세금 때문에 몰락했습니다. 거대 자본가가 출현한 동시에 중간계급이 몰락했고 이 때문에 프롤레타리아가 더 많이 발생했다고 할 수 있지요.

○보호무역시스템——조세시스템은 보호무역시스템과도 연결되어 있습니다. 당시 서구 국가들은 "낡은 생산양식에서 근대적 생산양식으로의 이행을 강압적으로 단축시키기 위해" 강력한 보호무역 정책을 폈습니다. 소위 '압축적 근대화' 정책이지요. 이것은 한국 같은 소위 개발도상국에서만 나타났던 게 아닙니다. 서구 국가들도 자본주의로 나아갈 때 모두 보호무역 정책을 폈지요.[김, 1036; 강, 1014]

보호무역 정책 중에는 세금제도가 가장 쉽고 효과적입니다. 국내시장에 들어온 외국 상품에 관세를 부과하고 해외시장으로 진출하는 국내 기업에 수출장려금을 지급하는 식이지요. 그런데 이것은 국내 자본가의 덩치를 키우기 위해 그 입에 국가재산, 즉 "국민들의 고혈을" 흘려 넣어준 것과 같습니다. 시초축적을 도운 정도가 아니라 시초축적(자본)의 일부를 직접 제공한 셈이지요. 아일랜드처럼 영국(잉글랜드)의 속국인 경우에는 국민들의 피해가 더 컸습니다. 본국 자본가를 위해 해당 산업 전체가 뿌리 뽑혔습니다. 그래서 아일랜드는 잉글랜드에 원료나 식품을 공급하는 농업국가가 되고 말았지요. [김, 1036; 강, 1015]

◦ 국가, 자본의 탄생을 도운 산파

지금까지 영국을 중심으로 이야기를 했습니다. 그러나 이것이 영국만의 이야기는 아닙니다. 영국에서 가장 체계적으로 작동하기는 했지만 자본주의로 이행하는 과정에서 서구의 여러 나라가 비슷한 일을 겪었지요.

프랑스의 '존 로(John Law) 체제'가 대표적 예입니다(『화폐라는 짐승』, 147~148쪽). 스코틀랜드의 은행가였던 로는 채무에 시달리던 프랑스 정부에 자금을 대부해주고 은행 설립권을 얻었습니다. 영국 상인들이 잉글랜드은행을 설립했던 방식과 같습니다. 은행 설립에는 별도의 돈이 필요하지 않았습니다. 국가에 대부하고 받은 채권 증서를 자본금으로 삼았으니까요. 계속 돈을 대는데도 돈이 들지 않는, 아니 오히려 큰 수익을 내는 모델을 알고 있었던 겁니다. 그는 잉글랜드은행과 마찬가지로 은행권을 발행했고 이 은행권으로 세금을 납부할 수 있게 했습니다. 나중에는 조세 징수 업무까지 독점했습니다. 마침내 잉글랜드은행처럼 그의 은행도 프랑스 왕립은행이 되었지요.

로는 대외무역에 대한 독점권도 얻었는데요. 당시 프랑스 식민지였던 미국의 루이지애나 지역과의 교역을 독점하는 회사를 만들고 동인도회사도 사들였습니다. 상황이 이렇다 보니 너도나도 로 회사의 주식을 사려고 달려들었지요. 회사의 주식 가격이 폭등했습니다. 무려 36배가 올랐지요. 존 로 체제는 결국 투기 거품이 터지면서 붕괴했습니다만 당시 작동했던 자본축적 모델을 선명하게 보여줍니다. 국채 발행과 은행의 설립, 무역 독점회사, 조세, 식민지 개척 등이 유기적으로 맞물려 돌아가는 모델 말입니다.[75]

이렇듯 산업자본의 시초축적을 도운 네 가지 시스템은 서로 긴밀하게 연관되어 있으며 그 중심에 국가권력이 있음을 알 수 있습니다. 국가권력의 뒷받침이 없다면 불가능한 모델이지요. 앞서 마르크스는 봉건적 생산양식이 자본주의적 생산양식으로 전환하는 과정에서 국가권력이 이용되었으며, 새로운 사회를 잉태한 낡은 사회에서는 '폭력'이 산파 역할을 한다고 했습니다.

국가가 없었다면 봉건적 소유제를 근대적 소유제로 전환하기가 불가능했을 겁니다. 국가는 국유지를 증여하거나 불하하는 방식으로 시초축적에 기여했습니다. 국가는 임금노동자의 탄생에도 결정적 역할을 했습니다. 생산수단을 잃은 대규모 인간대중을 노동시장으로 이끌었고(피의 입법), 자본이 스스로의 힘(경제적 관계의 힘)으로 노동자들을 장악하기 전까지 노동자의 관리를 도왔습니다. 임금 규제, 노동시간 연장, 노동자의 복종 등에 직접 관여했지요. 그리고 산업자본의 시초축적을 가능케 한 시스템 설립에도 중요한 역할을 했습니다. 자본가의 탄생도, 노동자의 탄생도 국가의 도움이 없었다면 힘들었을 겁니다. 국가가 자본의 탄생을 도운 산파였다고 할 수 있습니다.

◦ 시초축적기의 폭력, 야만 위에 건설된 문명

시초축적기에 어떤 일들이 일어났는지 살펴보았는데요. '피와 불의 문자들로 기록된' 이 끔찍한 연대기는 정치경제학자들의 서가에서는 찾아보기 어렵습니다. 자본주의로의 이행을 문명화로 받아들이는 사람들은 이 문명이 야만을 통해 건설된 것임을 말하지 않습니다. 침묵하거나 불가피한 희생으로 정당화하거나, 심지어 대단한 성취로 미화하지요.

이와 관련해 마르크스는 이든을 다시 거명합니다. 자본주의가 매뉴팩처 단계에서 기계제 대공업 단계로 넘어가는 시점에 비판적 목소리를 냈던 사람인데요. 이든은 구빈원에서 어린아이들을 데려와 공장에서 밤낮으로 혹사시키는 것에 분노했습니다. 그런데 이 대단한 박애주의적 감성을 지닌 인물은 시초축적기 농민들의 토지 수탈에 대해서는 아주 냉정했습니다. 심지어 자본주의적 농업을 위한 '필수' 과정이라며 긍정하기까지 했습니다. "경작지와 목초지 사이의 올바른 비율을 확립"하기 위해 필요했던 일이라고 보았지요.

마르크스는 이든이 태연하게 말한 일과 이든이 분노한 일의 차이가 무엇이냐고 묻습니다. 경작지와 목초지 사이의 올바른 비율을 정립하기 위해 농민들을 몰아낸 일과 "자본과 노동력 사이의 올바른 비율을 확립하기 위해" 구빈원에서 아동을 약탈하고 공장에서 어린아이들을 노예처럼 부린 것의 차이가 무엇이냐고요. 자기 시대의 착취에 대해서는 분노하는 사람이 시초축적기의 폭력에 대해서는 어떻게 그렇게 태

연자약하느냐는 거죠.[김, 1037; 강, 1015]

영국에서 산업자본이 급성장하던 시기(이든이 구빈원 아동을 약탈해 공장에서 혹사시키는 것을 한탄하던 시기) 자본가들은 부족한 노동자를 구하기 위해 사방팔방으로 뛰어다녔습니다. 지난번에 우리는 마르크스가 한 하원의원의 연설을 인용한 것을 보았지요. 공장주들이 구빈법위원회와 거래해 교구에 있는 가난한 사람들을 사들였다고요. 구빈법위원회가 명부를 넘기면 공장주가 선택을 했습니다. 그러고 나면 "이들 인간화물은 일반화물과 마찬가지로 꼬리표를 단 채 짐마차로 송달"되었지요. 이런 '인신매매'는 지속적으로 이루어졌고 "흑인이 미국 남부의 여러 주에서 면화 재배업자에게 팔리는 것과 완전히 똑같이 (…) 맨체스터 공장주들에게 넘겨"졌습니다. 빈민 아동들이 모여 있던 구빈원이나 고아원 등도 중요한 약탈 대상이었지요. 이들 시설은 아이들을 임대 형식으로 공장주들에게 넘겼습니다(『공포의 집』, 120~121쪽).

이번에도 마르크스는 다시 한번 이 사실을 환기합니다. 하원의원 프랜시스 호너(Francis Horner)의 연설을 인용한 것인데요. 호너에 따르면 당시 파산한 한 공장주는 공장에서 일하던 아이들을 경매에 부쳤습니다. 자기 재산의 일부라고 생각했기 때문이죠. 런던의 한 공장주와 교구 사이의 계약서에는 공장주가 건강한 아이 스무 명당 백치 한 명을 사들여야 하는 것으로 되어 있습니다. 아동노동자들의 거래가 기행이 아니라 관행이었음을 알 수 있습니다.[김, 1039, 각주 11; 강,

1017, 각주 246]

마르크스가 여기서 이 이야기를 또 꺼낸 이유는 뭘까요. 아마도 자본의 시초축적기에 볼 수 있었던 일들이 자본주의적 생산양식의 토대가 구축된 뒤에도 새로운 형태로 반복되고 있음을 말하기 위해서일 겁니다. 식민지인들을 대상으로 자행된 폭력이 자국의 빈민들을 대상으로, 또 불법 내지 무법적으로 자행된 행동이 법률과 제도의 형태로 계속 이루어지고 있다는 것이지요. 17세기 네덜란드인들이 노예를 구하기 위해 술라웨시섬에서 주민들을 사냥하고 비밀 감옥에서 어린 소년들을 길러 노예선에 팔아넘긴 일과, 산업자본주의 초기 영국 공장주들이 교구위원회로부터 농촌의 빈민들을 사들이고(인신매매) 구빈원과 고아원 관리자들이 아이들을 공장에 임대상품으로 팔아넘긴 일이 서로 무관하지 않다는 거죠.

우리가 지난 책에서 다룬, 기계제 대공업 시대에 산업예비군(잉여노동자들)에게 자행된 폭력도 마찬가지입니다. 산업예비군이 "자본이 마음대로 처분할 수 있는 인간재료"로서 겪은 일들은 시초축적기 '포겔프라이 프롤레타리아들'이 겪은 일과 무관하지 않습니다. 자본관계에 예속되어 있고 자본의 재생산에 동원되지만 그 가치를 인정받지 못하는(자본관계 내부에 진입할 수조차 없는) 우리 시대 다양한 프롤레타리아들이 겪는 폭력도 그렇고요(『노동자의 운명』, 44~45쪽).

그러므로 시초축적기 폭력은 사라진 것이 아닙니다. 그 폭력은 자본주의적 생산양식의 토대가 구축된 뒤에도 살아 있습니다. 법률과 제도의 형태로 시스템 안에서 숨 쉬고 있다고 할 수 있습니다. 야만적 형태의 폭력이 문명화된 형태의 폭력으로 바뀐 것뿐이지요(시스템이 위기에 처하면 시초축적기에 등장했던 폭력과 유사한 폭력이 등장하기도 하지요).

◦ 마침내 '자본'이 태어났다, 피와 오물을 흘리며

이든처럼 박애주의적 심성을 보여준 정치경제학자들조차 시초축적기의 수탈에 대해서는 태연자약한 태도를 보였다고 했는데요. 그래도 이들은 나은 편입니다. 이때의 일을 미화하고 심지어 자랑스러워하는 사람들이 훨씬 많으니까요. 17~18세기 자본주의 발전과 더불어 서구인들은 지난 시절의 만행을, 번영의 기초를 닦은 행동으로 칭송했습니다. 마르크스에 따르면 이때 "유럽의 여론은 마지막 남은 수치심과 양심까지 내버렸"습니다.[김, 1039; 강, 1017]

대표적 예가 18세기의 정치경제학자 애덤 앤더슨입니다. 그는 시초축적기의 일들을 '신의 섭리'로 묘사했던 인물이지요. 『상업의 역사』에서 그는 영국이 노예무역의 권리를 확대한 과정을 무용담처럼 떠들어댔습니다. 에스파냐가 갖고 있던 아프리카와 아메리카(에스파냐령) 사이 노예무역의 권리를 영국이 위트레흐트조약(Utrecht條約, 1713) 체결 과정에서 빼앗았는데요. 앤더슨은 이를 "영국 국책의 승리"라고 했습니다.[김, 1040; 강, 1018]

그런데 앤더슨이 뿌듯해하는 일의 정체가 무엇인지 생

각해봅시다. 그것은 아프리카에서 사냥한 인간을 아메리카에 팔아치우는 일입니다. 영국은 당시 아프리카와 서인도제도(영국령)를 오가며 노예무역에 열을 올리고 있었습니다. 그런데 1713년 '국책의 승리'로 30년간 해마다 4800명의 아프리카인을 에스파냐령 아메리카에 공급할 권리를 새로 얻었습니다. 더 많은 인간을 잡아다가 더 많은 곳에 팔 수 있게 된 것이지요.

영국의 리버풀은 '국책의 승리' 후 노예무역으로 성장한 도시입니다. 1730년 리버풀의 항구에는 15척의 노예판매선이 드나들었는데요, 1792년에는 노예판매선이 무려 132척까지 늘어났습니다. 당대 정치경제학자인 존 에이킨(John Aikin)은 이 상황에 매우 고무되었던 것 같습니다. 그는 노예무역이 더 많은 부, 더 큰 번영만을 가져다준 게 아니라고 했습니다. 그에 따르면 노예무역은 "리버풀의 무역을 특징짓는, 그리고 리버풀의 무역을 현재의 번영으로 이끌어준, 대담한 모험정신(spirit of bold adventure)에 부합했으며, 선적과 항해에서 대규모 일자리를 창출했고, 이 나라 매뉴팩처에 대한 수요를 크게 증가시켰"습니다{참고로 독일어판에서 마르크스는 에이킨의 이 문장들을 "노예무역이 상업적 모험정신(kommerziellen Unternehmungsgeist)을 격정(Leidenschaft)으로까지 끌어올렸고 뛰어난 선원들을 육성했으며 큰돈을 벌게 해주었다"라고 옮기고 있습니다[김, 1040; 강, 1018]}.

'대담한 모험정신'(상업적 모험정신)이라는 말이 눈에 들어오는데요. 공격적 투자의 정신을 지칭한 것으로 보입니다. 에이킨은 노예무역이 영국의 자본가들에게 그런 모험정신을 함양했다고 평가한 겁니다. 마르크스는 한 잡지 기사를 인용해 이 정신의 정체를 밝혀주는데요. "적당한 이윤만 보장되면 자본은 대담해진다. 10퍼센트 이윤을 보장할 수 있다면 자본을 어디서든 이용할 수 있다. 20퍼센트가 보장되면 자본의 움직임이 활발해지고, 50퍼센트가 보장되면 적극적이고 대담해진다. 100퍼센트가 보장되면 인간의 법을 모두 유린할 준비가 되어 있고, 300퍼센트가 보장되면 저지르지 못할 범죄가 없다. 설령 단두대에 오를 수 있다 해도 말이다."[김, 1042, 각주 15; 강, 1019, 각주 250]

노예무역은 돈만 벌게 해준 게 아니라 '대담한 모험정신'을 키워주었다는 에이킨의 말이 맞는지도 모르겠습니다. 노예무역은 자본의 시초축적이었을 뿐 아니라 자본가정신의 시초축적이었다고 부를 수도 있겠지요. 돈이 된다면 어떤 끔찍한 범죄도 용감한 모험으로 간주하는 정신이 탄생했다고요. 그리고 이런 정신이 함양된 자본가라면 다음 세기에 공장에서 노동자를 노예처럼 부리는 게 이상할 것도 없겠지요.

마르크스가 리버풀의 노예무역을 이야기하고 곧바로 영국 면직공업의 아동노예제를 이야기한 것은 이런 이유가 아닐까 싶습니다. 리버풀 항구의 정신이 영국 공장으로 이어져 내려오고 있음을 보여주려는 거죠. 그는 이렇게 말합니다. "면직공업은 영국에 아동노예제를 도입했고 미국에는 종래의 가부장적 노예제를 상업적 착취 제도로 전환시키는 동기를 제공했다. 일반적으로 유럽에서는 임금노동자라고 하는 은폐된 노예제가, 신대륙에서는 노골적인 노예제를 그 발판으로 삼을 필요가 있었다."[김, 1040; 강, 1018]

시초축적기 리버풀은 사람을 상품으로 판매하고 노예로 부리게 한 사업 덕분에 번영했습니다. 그런데 사람을 상품으로 판매하고 노예로 부리는 일은 이 시기 리버풀만이 아니라 모든 자본주의 사회의 항구적 기초입니다. 사람을 상품화하고 노예로 부리는 형식이 달라진 것뿐이지요. 이를테면 19세기 영국의 아동노동자는 17세기 네덜란드인들이 비밀 감옥에 가두었다가 팔아넘긴 어린 노예의 문명화된 형태입니다. 19세기 영국 면직공장에서 일하는 임금노동자는 그 공장에 납품할 면화를 따는 미국 흑인노예의 문명화된 형태입니다. 반대로 말하면 미국의 흑인 노예는 영국 백인 노동자의 노골적 진실, 혹독한 진실, 야만적 진실인 것이지요.

마르크스는 부르주아지를 '주문을 외워 저승의 힘을 불러낸 마법사'에 비유한 적이 있는데요(『자본의 꿈 기계의 꿈』, 39~40쪽). 맥락과 의미는 다르지만 마르크스가 시초축적기에 일어난 일들을 나열하는 방식을 보면, 저승에서 괴물을 불러내는 흑마술(黑魔術)이 진행된 것처럼 보이기도 합니다. 농민들로부터의 토지 수탈, 피의 입법, 아메리카에서 금은 산지의 발견, 동인도의 정복과 약탈, 아프리카의 흑인 사냥과 상품화, 그리고 이 모든 계기를 묶어준 시스템들(식민시스템, 국채시스템, 조세시스템, 보호무역시스템). 한 가지 사건, 한 가지 수고가 더해질 때마다 괴성이 울리고 괴물의 형체가 조금씩 갖추어지는 것 같습니다.

"그만큼 힘든 과업이었다"(Tantae molis erat).[김, 1041; 강, 1019] 마르크스는 시초축적기의 일을 정리하며 베르길리우스(Vergilius)의 서사시 『아이네이스』*Aeneis*에서 한 구절을 따왔습니다. 베르길리우스는 이렇게 말했습니다. "로마 민족을 창건한다는 것은 그만큼 힘든 과업이었다"(Tantae molis erat Romanam condere gentem).[76] 마르크스는 로마의 탄생을 다룬 이 시구를 자본의 탄생에 쓰고 있습니다. 자본이 아무 일 없이 세상에 나온 게 아니라는 뜻이겠지요. 그야말로 온갖 '끔찍한' 수고들이 더해져 『자본』의 주인공이 탄생했습니다. 우리는 이 괴물의 성체(成體)를 알고 있습니다. "한 조각의 근육, 한 가닥의 힘줄, 한 방울의 피라도 남아 있는 한" 결코 노동자를 놓아주지 않던 흡혈귀 말입니다.[김, 411; 강, 422] 이 괴물이 세상에 태어나던 순간을 마르크스는 이렇게 묘사하고 있습니다. "머리끝에서 발끝까지 모든 털구멍에서 피와 오물을 흘리면서 자본이 태어난다."[김, 1041; 강, 1019]

5

자본의 운명

마르크스에 따르면
자본주의는 대자본가의 수는 줄어들면서
축적의 규모는 커지는 방향으로 발전합니다.
그리고 축적 규모가 커지는 것에 비례해
"빈곤, 억압, 예속, 타락, 착취의 정도"가
증대합니다. 자본으로서는 그 영광이
절정에 이르는 때입니다.
과연 여기가 신생아 자본이 이르게 될
운명의 귀착지일까요. 그렇지 않습니다.
자본이 걸어가게 될, 아니 미친 듯 달려가게 될
운명의 나머지 부분이 있습니다.
마르크스의 예언, 마르크스의 저주에 따르면,
자본을 세계의 정복자로 만들어준 운명이
자본을 패망으로 이끕니다.

윌리암 아돌프 부그로, 〈지옥에 간 단테와 베르길리우스〉, 1850.
자본의 창세기, 자본의 탄생에는 베르길리우스의 시구가 필요했습니다.
"그만큼 힘든 과업이었다."
그러나 자본의 종말, 자본의 죽음에는 이런 시구가 적절할 겁니다.
"그만큼 쉬운 일도 없었다."

자본이 태어나는 모습까지 보았으니 시초축적에 대한 이야기를 마쳐야 할 것 같은데요. 마르크스는 시초축적에 관한 장(제24장)에 하나의 절을 더했습니다. 이 마지막 제7절(영어판 제32장)의 제목은 '자본주의적 축적의 역사적 경향'입니다. 제목만 보면 '자본주의적 축적의 일반법칙'을 다룬 지난 책(시리즈 11권)에 더 적합해 보입니다. 언뜻 보면 내용도 그렇습니다. 짤막하게 자본주의의 역사를 개괄하면서 자본축적의 필연적 경향(법칙)을 보여주는 것 같거든요.

마르크스는 왜 이런 내용을 여기 넣을 생각을 했을까요. 『자본』 제24장은 자본주의적 축적의 일반법칙을 다루는 장도 아니고 『자본』 I권의 마지막 장도 아닙니다. 나는 그 이유를 제6절의 마지막 단락에서 찾고 싶습니다. 조금 전 우리는 "머리에서 발끝까지 모든 털구멍에서 피와 오물을 흘리며" 세상에 태어난 신생아 자본을 보았습니다. 보통이라면 새로 태어난 아이의 운명을 축복해야 할 순간이지요. 그러나 학살, 살인, 강도, 약탈을 배경으로 탄생한 괴물의 운명을 축복할 수는 없습니다. 나는 마르크스가 덧붙인 제7절을 자본의 운명에 대한 저주문이라고 생각합니다.

제6절 마지막 단락에서 마르크스는 로마의 탄생을 다룬 베르길리우스의 시구를 떠올렸는데요. 이 시구는 이전에 제23장의 마지막 단락에서 인용한 호라티우스의 시구를 연상시킵니다(『노동자의 운명』, 223쪽). 베르길리우스는 위대한 제국을 건설한 로마 민족이 처음 탄생할 때 대단한 노고가 필요했

다고 했습니다. 그런데 호라티우스는 로마 민족의 운명에는 저주가 내려졌다고 했지요. 로마인들은 칼을 놓을 수 없다고, 멸망의 길임을 알면서도 정복 전쟁을 멈출 수 없다고 했습니다. 그리고 이 저주가 로마의 건국 과정에서 일어난 살인에서 시작되었다고 했지요.

사람을 죽이는 것에서 시작한 나라는 사람을 죽이는 것으로 번영하지만 결국에는 그 일로 멸망에 이를 것이다. 이것이 로마의 운명이고 이것이 자본의 운명이다. 마르크스는 호라티우스처럼 말하고 싶었던 게 아닐까요. 학살과 수탈로 탄생한 자본이라는 괴물의 저주받은 운명을 예언해두는 거죠. 그래서 제7절을 다음과 같은 문장으로 시작한 것 같습니다. "자본의 시초축적, 즉 자본의 역사적 탄생은 결국 어디에 이를 것인가?" 이제 그 운명의 귀착지로 따라가보겠습니다.

◦ 끔찍한 창세기—자본의 비극적 탄생

마르크스는 이렇게 이야기합니다. 자본의 탄생이 "노예나 농노를 임금노동자로 그대로 전환한 것이 아닌 한에서 (…) 그것은 직접생산자에 대한 수탈을 의미한다."[김, 1043; 강, 1020] 임금노동자는 생산수단을 갖지 못한 사람입니다. 그런데 '임금노동자'가 노예나 농노를 단순히 고쳐 부른 이름이 아니라면(노예와 농노의 직접적 전환이 아니라면), 임금노동자의 출현은 새롭게 생산수단을 잃은 사람들, 생산수단을 빼앗긴 사람들이 대거 나타났다는 뜻이지요.

그래서 마르크스는 단도직입적으로 묻고 답합니다. 자본의 역사적 탄생은 무엇을 의미하는가. 그것은 직접적 생산자에 대한 수탈을 의미할 따름이다. 자신이 직접 일을 해서 생산물을 얻었던 사람들, 그렇게 자기 재산을 모은 사람들이 생산수단을 상실하고 재산을 빼앗기면서 자본이 시작되었다는 거죠.[김, 1043; 강, 1020]

이것은 아주 중요한 이야기입니다. 보통 우리는 자본주의가 사적 소유에 입각해 있다고 말합니다. 틀린 말은 아닙니다. 사유재산권을 보장하지 않는 자본주의란 있을 수 없습니다. 그런데 지금 마르크스는 자본주의가 사유재산에 대한 보장이 아니라 사유재산의 수탈과 함께 시작되었다고 말하고 있습니다. 게다가 이 수탈은 불로소득이나 약탈소득에 대해 이루어진 게 아닙니다. 봉건시대 군주나 귀족의 재산을 빼앗은 게 아니라 직접 노동하는 사람들의 재산을 빼앗은 거죠.

부르주아 사상가들이 사유재산권을 일종의 자연권으로, 그래서 국가도 함부로 빼앗을 수 없는 신성한 권리로 정당화했던 논리에 비춰보면 이것은 대단한 아이러니가 아닐 수 없습니다. 근대 부르주아 사상가들은 사적 소유의 원천에 노동을 두었으니까요. 신이 제공한 자연물을 인간이 제 것으로 만들 수 있는 건 노동을 했기 때문이라고 했지요. 노동이 사적 소유를 정당화하는 근거였습니다(『자본의 재생산』, 104쪽). 그런데 자본주의는 직접생산자 즉 노동하는 자의 재산을 빼앗아 노동하지 않는 자의 재산으로 만들면서 시작되었습니다.

자본주의가 사적 소유를 원칙으로 하는 사회인 것은 분명합니다. 그러나 마르크스에 따르면 똑같이 사적 소유를 원칙으로 삼는다 해도 소유주가 직접생산자(노동하는 자)인가 아닌가에 따라 사회형태는 크게 달라집니다.[김, 1043; 강, 1020] 그런데 자본주의의 기초를 이루는 사적 소유, 자본의 증식(잉여가치 취득)을 보장하는 사적 소유는 노동하지 않는 자, 직접 생산하지 않는 자의 사적 소유라고 할 수 있습니다.

사실 봉건주의적 생산양식에서도 어느 정도의 사적 소유는 존재했습니다. 자영농민들의 경우 자기 노동수단으로 일했고 노동생산물도 자기 것으로 취했습니다. 소농사회처럼 소규모 경영(Kleinbetrieb)이 이루어지는 곳에서는 직접생산자가 생산수단을 소유하는 경우가 많았습니다. 그리고 이런 소규모 경영은 마르크스에 따르면 "사회적 생산과 노동자 자신의 자유로운 개성의 발전을 위해서도 필수적인 조건"입니다.[김, 1043; 강, 1020] 노동하는 사람이 생산수단에 대한 권리를 가져야 한다는 거죠.

그러나 봉건주의적 생산양식처럼 생산수단이 분산되어 있고 협업이나 분업의 폭이 제한되는 조건에서는 생산력이 발전하기 어렵습니다. 생산규모가 정체되어 있다고 할까요. 그러나 언제까지나 그런 것은 아닙니다. 마르크스는 프랑스 경제학자 콩스탕탱 페쾨르(Constantin Pecqueur)의 말을 빌려 이렇게 이야기합니다. 이런 생산양식을 영속화하려는 것은 "전체적으로 자잘해질 것을 명령하는 것"(décréter la médiocrité générale)이라고요.[김, 1044; 강, 1020]

그때가 언제인지 미리 알 수는 없겠지만 어느 순간 기존 생산양식을 파괴하는 물질적 힘이 생겨납니다. 봉건주의적 생산양식의 경우도 그랬습니다. 이 생산양식을 속박으로 느끼는 '새로운 세력'과 '새로운 정열'이 태동했지요.[김, 1044; 강, 1020~1021] 시초축적기의 일들이 여기에 해당합니다. 생산수단의 집적과 사회적 생산력의 발전을 가로막던 사회적 배치가 해체되고, 소유형태도 '다수에 의한 소규모 소유'에서 '소수에 의한 대규모 소유'로 바뀌었지요. 이미 이 과정은 충분히 살펴보았습니다. 그런데 제7절에서 마르크스가 특별히 강조하는 것은 소유형태입니다. 자기 노동에 기초한 사적 소유가 자본주의적 사적 소유, 즉 "다른 사람의, 하지만 형식적으로는 자유로운 노동에 대한 착취에 기초한 사적 소유"로 바뀌었다는 거죠.[김, 1045; 강, 1021]

◦ 멈출 수 없는 운명—"수탈자가 수탈당한다"

자본주의가 직접생산자에 대한 수탈에서 시작되었다고 했는데요. 축적이 진행되면 수탈의 규모도 확대되지요. 처음에는 직접생산자의 재산을 수탈했고, 다음에는 직접생산자를 임금노동자로 전환해 잉여가치를 수탈했습니다. 자본주의적 생산양식의 토대가 구축된 이후에는 노동력과 생산수단의 동원 범위가 더 커집니다. 노동은 점차 협력적 형태를 취하고, 생산수단의 규모가 커지면서 공통으로 이용하는 생산수단(이를테면 교통 및 통신 시설)이 늘어납니다. 한마디로 노동과 생산수단의 사회화가 나타나지요.[김, 1045; 강, 1021]

그런데 더 많은 노동과 더 많은 생산수단을 동원하려면 더 많은 자본이 필요합니다. 자본축적을 위해서는 생산력 발전이 필요하고, 생산력의 발전을 위해서는 더 큰 자본이 필요하지요. 자본의 수탈은 어느 순간 새로운 양상으로 전개됩니다. 자영노동자(자영농민)에서, 임금노동자의 수탈로 가더니, 이제는 자본가들까지 수탈합니다. 큰 자본이 더욱 덩치를 키우기 위해 작은 자본들을 먹어치우는 일, 소위 '자본가에 의한 자본가의 수탈'이 일어나는 겁니다. 이것이 '자본의 집중'입니다.[김, 1045; 강, 1021]

자본은 사회적 생산력을 더욱 발전시켜가는데요. 그럴수록 생산의 사회적 성격이 커집니다. 마르크스의 말을 그대로 옮기면 이렇습니다. "노동과정의 협업적 형태, 과학의 의식적이고 기술적인 적용, 토지의 계획적 이용, 노동수단의 공동 사용, 결합된 사회적 노동의 생산수단으로 사용됨으로써 나타나는 모든 생산수단의 절약, 각국 국민들의 세계시장 그물로의 편입과 자본주의적 체제의 국제적 성격 등이 더 큰 규모로 발전해간다."[김, 1045; 강, 1022]

이 과정에서 소유의 사회적 성격이 커집니다. 자본의 집중은 '경쟁'(소수의 대자본가가 다수의 소자본가를 수탈)을 통해서도 이루어지지만, '신용'(산재한 자본의 사회적 동원)을 통해서도 이루어집니다(『노동자의 운명』, 81~83쪽). 그런데 자본을 사회적으로 동원하면 그만큼 소유에 사회적 성격이 나타나지요. 마르크스가 『자본』 III권에서 다루는 주식회사가 대표적 예입니다. 주식회사는 대자본가가 사회적으로 동원한 자본을 자기 재산처럼 쓸 수 있는 방법입니다[게다가 소유권을 상품 형태(주식)로 거래하기 때문에 투기 성격도 강합니다. 마르크스의 표현을 빌리자면 거래소에선 대개 "작은 고기들이 상어의 밥"이 됩니다[77]]. 주식회사 제도는 생산의 사회화와 더불어 소유의 사회화 경향이 나타남을 보여줍니다. 다만 소유의 사회적 성격이 아직은 "자본주의적 한계 안에 붙들려 있는" 형태라고 할 수 있지요.[78]

마르크스에 따르면 자본주의는 대자본가의 수는 줄어들면서 축적의 규모는 커지는 방향으로 발전합니다. 그리고 축적규모가 커지는 것에 비례해 "빈곤, 억압, 예속, 타락, 착취의 정도"가 증대합니다.[김, 1045; 강, 1022] 자본으로서는 그 영광이 절정에 이르는 때죠. 마치 베르길리우스 서사시의 주인공 아이네이스가 미리 본 미래 로마의 영광과 같습니다.

과연 여기가 신생아 자본이 이르게 될 운명의 귀착지일까요. 그렇지 않습니다. 자본이 걸어가게 될, 아니 미친 듯 달려가게 될 운명의 나머지 부분이 있습니다. 마르크스의 예언, 마르크스의 저주에 따르면, 자본을 세계의 정복자로 만들어준 운명이 자본을 패망으로 이끕니다. 마치 로마를 정복자로 만들어준 운명이 로마를 멸망으로 이끈 것처럼 말이지요.

자본이 규모를 키우기 위해 발전시켰던 모든 요소가 어느 시점에선 자본을 위협합니다. 자본은 생산수단을 집중시키고 사회적 생산력을 발전시켰습니다. 하지만 생산력의 무제한적 발전은 어느 순간 생산의 제한된 목적, 즉 자본의 증식이라는 목적과 충돌하기 시작합니다.[79] 사회적 생산력(사회의 지적· 과학적·예술적 능력)의 발전에 자본주의가 방해물로 인식되는 거죠. 또한 생산의 사회성(생산수단의 집중 및 공유와 노동의 사회화)이 강화되는 것과 더불어 소유의 사회성도 강화된다고 했는데요. 신용시스템의 발전은 소유의 새로운 형태를 뒷받침할 수 있을 정도로 발전해가는데, 자본주의가 이 시스템을 사회적 부를 소수의 사유재산으로 만드는 방편으로만 이용하는 것이 문제로 부각됩니다.

게다가 축적의 규모가 커지면서 피수탈자의 규모가 커지는데요. 피수탈자는 양적으로만 늘어나지 않습니다. 이들은 "자본주의적 생산과정 자체의 메커니즘을 통해 훈련되고 결합되며 조직된" 존재들입니다.[김, 1045~1046; 강, 1022] 자본의 착취 메커니즘 속에서 증식하고 더욱 강력해진 존재들이지요. 역사적 복수의 규칙이랄까요. 언젠가 말한 것처럼 역사에서 가해자 즉 수탈자는 자신에게 복수할 존재들을 스스로 키우고 그들이 사용할 무기까지 만들어줍니다(『자본의 꿈 기계의 꿈』, 237쪽).

어느 순간 때가 닥칩니다. '자본의 독점'(Kapitalmonopol) 아래서는 더 이상 사회적 생산이 발전하기 어렵다는 역사적 판단이 내려지는 때가 옵니다. 자본은 그때로 나아가는 것을 멈출 수 없습니다. 종말의 때로 나아가는 것을 멈추면 바로 그

순간이 종말의 때가 될 테니까요. 자본축적의 규모가 커질수록 남은 시간은 더 빠른 속도로 사라집니다. 그때가 닥치면 어떻게 될까요. 마르크스는 이렇게 말합니다. "이 시점에 자본주의적 외피는 폭파된다. 자본주의적 사적 소유의 시대는 조종(弔鐘)을 울린다. 수탈자가 수탈당한다."[김, 1046; 강, 1022]

◦ 즐거운 종말론—자본의 희극적 죽음

수탈자가 수탈을 당한다. 언뜻 참으로 무서운 저주로 들립니다. 끔찍했던 창세기가 무시무시한 종말론으로 끝나는 것 같습니다. 그런데 잘 읽어보면 제7절의 끝에서 마르크스의 목소리는 그렇게 무섭지도, 무겁지도 않습니다. 최후의 심판을 처절한 복수로 예고하는 요한계시록 같은 음색이 아닙니다. 오히려 웃음과 장난기, 긍정의 정신이 묻어납니다.

제7절의 끝에서 마르크스는 자본주의의 운명을 '부정의 부정'이라는 변증법적 도식으로 표현하는데요. 이것을 인류 역사의 경로를 제시하는 역사적 일반 도식으로 읽으면 안 됩니다. 이것은 역사라기보다는 원리에 관한 것입니다. 자본 성장의 원리를 운명의 형태로 표현한 것뿐입니다. 물론 이 원리는 멸망의 원리이기도 합니다. 성장하는 원리로 멸망에 이를 테니까요.

마르크스는 제2독일어판 후기에서 '자신의 방법'인 변증법에 대해 이런 말을 했습니다. 한때 독일에서 변증법이 유행했는데 그것은 변증법이 '현존하는 것'을 찬미하는 것 같았기 때문이라고. 그러나 마르크스는 변증법('변증법의 합리적 형태')은 "현존하는 것에 대한 긍정적 이해 속에 그것에 대한 부정, 그것의 필연적 몰락에 대한 이해 또한 간직"하는 것이라고 했습니다. 현존의 원리가 멸망의 원리이기도 하다는 것, 이런 역설을 읽어내는 게 변증법이라는 뜻이지요. 그는 이것이 부르주아들에게 '분노와 공포'를 안길 것이라고 했습니다.[김, 19; 강, 61] 제24장 제7절의 끝에서 나는 마르크스가 분노와 공포로 부들부들 떠는 부르주아지를 떠올리지 않았을까 생각합니다. 자본의 거침없는 축적을 설명해주던 원리에서 자본의 죽음이 도출되었으니까요.

제7절의 내용은 전체적으로 『공산주의자 선언』과 비슷합니다. 실제로 마르크스는 제7절 마지막 문장에 『공산주의자 선언』을 주석으로 달았습니다.[김, 1046, 각주 2; 강, 1023, 각주 252] 부르주아지가 생산력을 발전시켰고 노동자들의 연대를 가져와 자신들의 계급적 토대를 무너뜨리고 제 무덤을 팠다는 내용입니다.

『공산주의자 선언』의 끝에서 마르크스는 "지배계급들로 하여금 공산주의 혁명 앞에 떨게 하라"라고 했는데요.[80] 공산주의 혁명을 보고 지배계급이 떠는 건 앞서 말한 '분노와 공포' 때문일 겁니다. 한편으로는 혁명에 대한 공포로 몸을 떨겠지만 다른 한편으로는 자신들이 이 혁명의 조건을 다 만들어준 것에 대한 당혹감과 자신이 길러준 존재(사회적 생산력과 프롤레타리아트)에 대한 배신감으로 몸을 떨겠지요.

자본주의의 운명에 대한 마르크스의 요약은 다음과 같습니다. 자본주의는 직접생산자의 재산에 대한 수탈로부터 시작되었습니다(자본의 탄생). “자본주의적 취득양식(자본주의적 사적 소유)은 자기 노동에 기초한 개인적(개별적)이고 사적인 소유에 대한 첫 번째 부정”입니다. 그런데 자본주의적 생산은 필연적으로 “자기 자신에 대한 부정”, 즉 자본주의적 사적 소유에 대한 부정을 낳습니다. “부정의 부정(Negation der Negation)”이지요.[김, 1046; 강, 1022]

그런데 두 번째 부정은 첫 번째 부정 이전으로 돌아가는 게 아닙니다. 자본주의는 사회적 생산(생산수단의 집중과 공유, 노동의 결합과 사회화)을 발전시켰습니다. 다만 사회적으로 창출된 부를 자본가의 사유재산으로 만든 거지요. 두 번째 부정은 이 취득 방식을 바꿉니다. 자본주의가 발전시킨 요소들을 활용함으로써 말이지요. 사회적 생산(그리고 사회적 소통)에 근거한 개인적(개별적, individuelle) 소유형태로 나아가는 겁니다. [김, 1046; 강, 1022]

『자본』 제1장에서 언급한 ‘자유로운 개인들의 연합’(Verein freier Menschen)을 염두에 둔 게 아닌가 싶습니다. 마르크스는 이 개인들을 ‘자유로운 그리고 사회화된 인간들’(frei vergesellschafteter Menschen)이라고도 불렀는데요(『마르크스의 특별한 눈』, 159~163쪽). 고립된 자연발생적 공동체와 달리 서로 소통하고 협력하며 공유하는 가운데 개별성을 갖는(소통과 협력, 공유 속에서 개성을 만들어내는) 생산공동체를 생각한 것 같습니다(참고로 『자본』 III권에서 마르크스는 그 구체적 예로서 자본주의가 발전시킨 사회적 생산시스템과 신용시스템에 기초한 전국적 규모의 협동조합을 제시하기도 했습니다[81]).

내가 마르크스의 종말론에서 유머와 장난기가 느껴진다고 말한 것은 특히 마지막 단락 때문입니다. 마르크스는 첫 번째 부정은 두 번째 부정에 비해 "비교할 수 없을 정도로 오래 걸리고 가혹하며 힘든 과정"이었다고 했습니다. 바꾸어 말하면 두 번째 부정은 아주 간단하고 쉽다는 이야기입니다. 자본의 죽음에는 자본의 탄생에 필요했던 만큼의 일들이 필요하지 않습니다. 그런 학살, 그런 약탈, 그런 추방이 필요하지 않습니다. 첫 번째 부정 즉 자본의 탄생에서는 "소수의 약탈자가 인민대중을 수탈하는 문제"였지만, 두 번째 부정 즉 자본의 죽음에서는 "인민대중이 소수의 약탈자를 수탈하는 문제"니까요.[김, 1046; 강, 1022]

단지 자본주의가 다 차려놓은 밥상에 숟가락 하나만 얹으면 됩니다. 아니, 숟가락 하나만 빼면 됩니다. 수탈자인 자본가만 빠지면 됩니다. 두 번째 부정을 위한 모든 조건은 자본이 다 구비해놓았습니다. 그래서 두 번째 부정은 첫 번째 부정처럼 어둡고 비극적이지 않습니다. 그것은 밝고 희극적입니다. 이 부정은 긍정이라고 불러도 좋습니다. 자본주의가 발전시켜온 힘에 대한 긍정, 자본주의가 발전시켜온 생산력과 연대에 대한 긍정이지요(『다시 자본을 읽자』, 138~139쪽).

자본의 창세기, 자본의 탄생에는 베르길리우스의 시구가

필요했습니다. "그만큼 힘든 과업이었다." 그러나 자본의 종말, 자본의 죽음에는 이런 시구가 적절할 겁니다. "그만큼 쉬운 일도 없었다."

6

식민지에서 드러난 진실

식민지의 땅은 넓습니다.
다수의 인민이 땅을 차지할 수 있었습니다.
바로 이것이 문제였습니다.
자기 땅에서 자기 노동으로, 자기 먹을 것을
생산할 수 있는데, 남의 명령을 받으며
남을 위해 일할 사람이 있을까요.
본국에서는 모두가 자본가에게
일거리를 달라고 몰려들었지만
식민지 땅에서는 아무도
자본가를 거들떠보지 않습니다.
네 잠자리는 네가 만들고,
목이 마르면 네가 직접 물을 길어 마셔라.
이것이 자본가가 식민지에 도착했을 때
마주한 현실이었습니다.

장 프랑수아 밀레, 〈괭이질하는 사람〉, 1860~1862.
자본주의가 유지되는 핵심 원리는 노동력의 상품화에 있다.
하지만 과연 자기 노동력을 상품으로 내놓는 일이 자연스럽게 일어날 수 있을까.
제발 나를 부려달라고, 당신이 필요로 하는 물건을
만들겠다고 하는 사람들이 자연에서 생겨날 수 있을까.
자기 포기와 자기 수탈에 대한 갈망이 인간의 본성일 수 있을까.

드디어 『자본』 I권의 마지막 장인 제25장(영어판 제33장)에 이르렀습니다. 제목이 '근대적 식민화 이론'(Kolonisationstheorie)인데요. 제목만 보면 자본주의적 생산양식과 식민지의 관계에 대한 어떤 체계적 분석이 나오는 건가 생각할 수도 있겠습니다. 실제로 마르크스는 지난 책들에서 자본주의와 식민주의의 연관을 시사하는 언급을 많이 했으니까요. 자본가와 노동자의 관계를 로마와 그 식민지인 소아시아의 관계에 비유했고(『자본의 재생산』, 61쪽), 자본주의적 생산의 발전(특히 기계제 대공업)과 더불어 식민지에 대한 요구가 분출할 수밖에 없음을 보였고(『자본의 꿈 기계의 꿈』, 140~146쪽), 식민시스템이 자본의 시초축적에서 어떤 역할을 수행했는지도 보여주었지요. 또 식민지야말로 자본의 이념이 제약 없이 구현될 때 어떤 일이 벌어지는지를 증언하는 장소라고도 했습니다.[김, 1030, 각주 4; 강, 1008, 각주 241]

하지만 마지막 장에서 다루는 내용은 이런 게 아닙니다. 근대 식민주의 이론들을 분석하는 것도 아니고 식민지의 처참한 현실을 고발하는 것도 아니지요(식민지 원주민들이 아니라 식민지에 이주한 유럽인, 특히 호주와 미국에 이주한 사람들의 이야기입니다). 여기서 다루는 식민화 이론은 대단한 사상가나 학자의 것이 아닙니다. 에드워드 기번 웨이크필드(Edward Gibbon Wakefield)라는 식민주의 정치가의 '체계적 식민화'(systematic colonization) 주장을 소개하고 있습니다.

마르크스는 비꼬는 말투로 자본가의 '가슴 아픈' '멜로드

라마'(Melodrama)라고 했지만[김, 1057; 강, 1033], 실상은 한 편의 익살극이라 할 수 있습니다. 우리는 큰 꿈을 품고 식민지에 도착한 어느 자본가가 굴욕적 상황에 처하는 광경을 보게 될 겁니다. 그리고 이를 통해 자본주의가 얼마나 독특한 사회인지를 다시 한번 깨달을 수 있을 겁니다. 『자본』 I권 전체를 웃으면서 정리하게 해주는 정말 멋진 마무리라고 할 수 있습니다.

◦ 식민화 이론가 웨이크필드가 들려주는 이야기

우선 마지막 장의 주인공이자 '체계적 식민화'의 주창자인 웨이크필드를 소개해야 할 것 같습니다. 자본의 진실을 폭로할 자로서 더할 나위 없는 이력을 갖고 있거든요. 그가 식민화 이론을 구상한 곳은 감옥이었습니다. 3년간 뉴게이트 감옥에 있었습니다. 부잣집 어린 소녀를 유괴해 강제로 결혼하려 했답니다.[82] 상속 재산을 노린 거였죠. 외교관 출신에, 사별한 아내의 집안에서 받은 재산 또한 제법 있었는데도 이런 범죄를 저지른 겁니다.

당시 영국은 식민지 호주로 죄수들을 이송했는데요. 감옥에 있던 웨이크필드는 이때 식민지에 관심을 갖게 되었습니다. 그러고는 '체계적 식민화'의 필요성을 담은 글을 썼습니다. 이 글이 존 스튜어트 밀(John Stuart Mill)을 비롯해 많은 정치경제학자의 공감을 얻은 모양입니다. 그 덕분에 출소 후 여러 식민지 개발 계획에 관여했습니다. 상속 재산을 노린 유괴범이자 사기꾼이 감옥에서 썼던 글이 식민지 발전 방안으로 큰 공감을 얻었다는 게 무척 흥미롭습니다.

그런데 마르크스가 보기에 웨이크필드의 '위대한 공적'은 식민지에 대한 새로운 사실을 발견한 데 있지 않습니다. 그의 공적은 "식민지에서 본국의 자본주의적 관계에 대한 진실을 발견"한 것에 있습니다.[김, 1049; 강, 1025] 즉 그가 식민지에서 꼭 필요하다고 말한 일들은 과거 본국에서 자본주의가 생겨나기 위해 꼭 필요로 했던 일들입니다.

웨이크필드의 이야기는 영국에서 호주로 건너온 필(Peel)이라는 자본가에서 시작합니다. 필은 5만 파운드스털링에 해당하는 생활수단과 생산수단을 가지고 3000명의 노동자 가족과 함께 호주에 왔습니다. 덜렁 자본만 들고 오지 않았다는 건 그가 "꽤나 용의주도한"(so vorsichtig) 사람임을 보여줍니다. 자본주의적 생산에는 자본만이 아니라 노동력이 필요하다는 사실을 알고 있었던 거죠. 그런데 호주에 도착했을 때 "필에게는 잠자리를 마련해주고 강에서 물을 길어다 줄 하인이 한 사람도 없었"습니다.[김, 1050; 강, 1026] 그를 사장님으로 모시는 사람이 없었던 거죠. 무엇이 문제였을까요. 혹시 그가 영국에서 미처 챙겨 오지 못한 게 있었을까요.

식민지의 땅은 넓습니다. 이주자들은 땅을 어렵지 않게 얻었습니다(원주민들에 대한 폭력은 일단 덮어두고 하는 이야기입니다). 나중에 온 이민자들도 땅을 얻기 위해 먼저 온 사람들의 땅을 빼앗을 필요가 없었습니다. 다수의 인민이 땅을 차지할 수 있었습니다. 경작자가 자기 땅을 소유하는 '인민소유'(Volkseigentum)가 이루어졌지요.[김, 1053; 강, 1029]

바로 이것이 문제였습니다. 자기 땅에서 자기 노동으로 자기 먹을 것을 생산할 수 있는데 타인의 명령을 받으며 타인을 위해 일할 사람이 있을까요. 영국에서는 모두가 자본가인 필에게 일거리를 달라고, 제발 자신을 부려달라고 몰려들었을 겁니다. 하지만 호주에서는 아무도 그를 거들떠보지 않습니다. 네 잠자리는 네가 만들고, 목이 마르면 네가 직접 물을 길어 마셔라. 이것이 필이 식민지에 도착했을 때 마주한 현실이었습니다.

자본가는 본국에서 무엇을 챙겨 오지 못했던가. 마르크스에 따르면 필의 이야기는 우리에게 중요한 사실을 일깨워 줍니다. 자본이란 사물이 아니라 "사람들 사이의 사회적 관계(gesellschaftliches Verhältnis)"라는 사실입니다.[김, 1050; 강, 1026] 필은 본국에서 사물과 사람은 챙겨 왔지만 관계는 가져오지 못했습니다. 식민지에는 자본관계가 존재하지 않습니다. 그리고 자본관계가 존재할 수 없다면 자본도 존재할 수 없지요.

웨이크필드가 이것을 이론적으로 파악했던 것은 아닙니다. 그는 개념적 차원에서는 여러 번 오류를 범합니다. 사실 이 오류는 그의 것이라기보다 그를 통해 나타난 당대 정치경제학자들의 것입니다. 정치경제학자들은 자본을 '소재적인'(stofflichen) 것으로 이해합니다. 그래서 생산수단이나 생활수단을 모두 자본이라고 부르지요. 실제로 자본주의 사회에서는 자본이 이런 형태로 존재합니다. 하지만 필의 예에서 보듯 생산수단이나 생활수단은 그 자체로는 자본이 아닙니다. 이것들이 자본이 되려면 노동력을 이용한 가치증식과정(잉여가치 생산의 과정)에 이용되어야 합니다. 즉 "노동자의 착취수단이자 지배수단으로 사용되는 한에서만" 자본이 될 수 있지요. 그런데 웨이크필드는 당대 정치경제학자들처럼 생산수단과 생활수단에 곧바로 자본이라는 이름을 붙이고 있습니다(노동자와의 관계 없이는 자본이 존재할 수 없다는 것을 포착했음에도 말이지요).[김, 1050~1051; 강, 1026]

웨이크필드의 오류는 또 있습니다. 그는 생산자(노동자)들이 자신의 생산수단을 가지고 생계를 꾸려가는 상황, 즉 생산수단이 다수의 생산자들에게 분산된 상황을 '자본의 균등한 분할'이라 부릅니다. 이는 자본 개념을 제대로 이해하지 못한 탓도 있지만(생산수단을 곧바로 자본이라고 부른다는 점에서), 자본이 역사적인 것임을 깨닫지 못한 탓도 큽니다(자본주의 이전의 생산양식에 자본 개념을 적용한다는 점에서). 자본의 역사성에 대한 몰인식이 드러난 거죠. 물론 그만 그런 것은 아닙니다. 당대 정치경제학자들도 그랬으니까요. 이들은 아무데나 '자본의 딱지'를 붙였습니다. 마치 아무 데나 "봉건적인 법적 딱지"를 붙이던 "봉건적 법학자들"처럼 말이지요.[김, 1051; 강, 1026~1027]

그러나 이런 오류에도 불구하고 웨이크필드는 생산수단

을 다수 인민이 소유한 상황에서는 자본축적이 일어날 수 없음을 알아차렸습니다(비록 이런 상황을 '자본의 균등한 분할'이라고 잘못 부르고는 있지만요). "노동자가 자기 자신을 위해 축적할 수 있는 한, 그리고 그가 자기 생산수단의 소유자로 머물러 있는 한 자본주의적 축적과 자본주의적 생산양식은 있을 수 없다. 이를 위해 필수적인 임금노동자 계급이 결여되어 있기 때문이다."[김, 1051; 강, 1027] 웨이크필드는 이것을 알아차렸습니다. 이것이 앞서 말한 그의 "위대한 공적"이지요.

◦ 깨져버린 자본가의 망상

그런데 웨이크필드는 자신이 식민지에서 발견한 사정이 본국에서 자본주의적 생산양식이 처음 자리를 잡을 때의 사정이기도 했다는 것은 알지 못했습니다. 유럽에서는 어떻게 임금노동자 계급이 형성되고 자본주의적 생산양식이 자리를 잡았던 걸까. 웨이크필드는 인류가 독특한 사회계약을 통해 자본축적이 가능한 상태로 이행했다고 했습니다. 마치 사회계약론자들이 사회계약을 통해 인류가 자연상태에서 국가상태로 이행했다고 말하는 것과 비슷하지요. 웨이크필드에 따르면 인류는 자본축적이 이루어지려면 스스로를 두 부류 즉 '자본의 소유자' 그룹과 '노동의 소유자' 그룹으로 나누어야 한다는 것을 깨달았습니다. 그래서 "자유의지에 근거한 합의"를 통해 이 분리를 이루어냈다는 겁니다.[김, 1051; 강, 1027]

자본축적을 태초부터("아담 시대 이래로") 인류의 '유일한

궁극의 목적'이었던 것처럼 말하는 몰역사적 인식은 논외로 하고요.[김, 1051; 강, 1027] 임금노동자의 탄생이 '자유의지에 근거한 합의'의 결과라는 말만 따져보죠. 만약 이 말이 옳다면 인류는 "'자본축적'의 영광을 위해 스스로 수탈당하기로" 한 셈입니다. 최소한 임금노동자가 된 사람들은 자유의지로 피수탈자의 운명을 택했으니, 마르크스의 표현을 빌리자면, '자기 체념적 광기(selbstentsagenden Fanatismus)의 본능'을 가진 사람들이라 할 수 있습니다.[김, 1051~1052; 강, 1027~1028]

좋습니다. 인류의 그런 이상한 본능 덕분에 유럽에서 자본주의가 생겨났다고 해봅시다. 그렇다면 식민지에서는 왜 이런 일이 일어나지 않을까요. 왜 식민지에서는 이런 본능이 발휘되지 않을까요. 왜 식민지에는 '자연발생적 식민화'가 아니라 '체계적 식민화'가 필요한 걸까요. 답은 간단합니다. 애초 "자본의 영광을 위한 노동 인류의 자기수탈충동(Selbstexpropriationstrieb) 따위는 존재하지 않"는 겁니다. 세상 어느 곳에도 그런 건 존재하지 않습니다.[김, 1052; 강, 1028]

웨이크필드도 식민지에서는 그런 걸 기대할 수 없다고 생각했습니다. 그래서 식민지에서 자본축적은 노동 인류의 거룩한 '자기수탈충동'이 아니라 '노예제도'를 통해서만 가능하다고 보았지요. 식민지에서는 원주민은 물론이고 유럽에서 온 이주자들도 임금노동자가 될 생각을 하지 않았습니다. 당연하지요. 자기 땅을 가질 수 있는데 누가 미쳤다고 자본가에게 수탈당하러 가겠습니까. 그러니 결국 총칼을 써서 원

주민들을 잡아다가 노예로 부렸던 겁니다.[김, 1052~1053; 강, 1028~1029]

웨이크필드는 식민지에서 임금노동자들이 생겨나지 않는 건 "토지와 노동자의 분리가 이루어지지 않았거나, 아주 산발적이고 제한된 범위에서만 이루어졌기 때문"이라는 점을 잘 포착했습니다. 그리고 이것이 자본을 위한 국내시장의 형성까지 저해한다는 것도 알았습니다. 그에 따르면 "스스로의 토지를 경작하는 자유로운 미국인들"은 생활수단이나 생산수단을 자기 손으로 만듭니다. 농사를 지으면서도 비누, 양초, 신발, 의복을 만들고 심지어 집까지 직접 짓습니다.[김, 1054; 강, 1029~1030]

이런 곳에서는 사업을 벌이기가 어렵습니다. 마르크스는 짐짓 자본가의 한탄을 대신하는 듯 이렇게 말합니다. "이런 괴짜들 사이에 자본가를 위한 '절욕의 영역'(Entsagungsfeld)이 어디 남아 있을 수 있겠는가?"[김, 1054; 강, 1030] 여기서 투자를 '절욕'으로 표현한 것은 시니어 같은 정치경제학자들을 조롱한 것으로 보입니다. 이들 경제학자들은 '자본'을 자본가의 절욕이라고 말했으니까요. 돈을 다른 곳에 탕진하지 않고(욕망의 억제) 상품생산에 투자했다는 거죠. 그래서 자본가의 이윤(잉여가치)을 절욕에 대한 대가로 정당화했습니다(『생명을 짜 넣는 노동』, 154쪽과 『자본의 재생산』, 133~137쪽).

웨이크필드가 묘사한 미국 같은 곳에서는 '자본가의 절욕'(자본)이 투입될 곳이 없습니다. 자신들이 직접 물건을 만들거나 독립생산자들이 만든 물건을 사용하니까요. 이런 곳에서는 국내시장(전국시장)도 발전할 수 없습니다. 시장이 발전하지 않으니 상품을 공급할 대규모 생산시스템도 발전하지 않고요. 무엇보다 이런 곳에서는 임금노동자들이 생겨나지 않습니다. 자본주의적 생산양식이 자리를 잡은 유럽에서는 노동자의 공급이 저절로 이루어졌습니다. 자본주의적 생산양식은 "임금노동자를 임금노동자로 재생산할 뿐 아니라 자본축적에 비례해 임금노동자의 상대적 과잉인구를 항상 생산해"냈지요. 그 덕분에 "노동의 수요공급법칙이 바람직한 궤도에서 지켜지고, 임금 변동은 자본주의적 착취에 적합한 한계 안에 머물며, 결국 자본가에 대한 노동자의 사회적 종속이 보장"됩니다.[김, 1054; 강, 1030]

그러나 식민지에서는 이런 메커니즘이 작동하지 않습니다. 많은 노동자가 이주해 오기 때문에 노동인구의 증가는 본국과 비교도 할 수 없을 정도로 빠릅니다. 게다가 이주자들 다수가 생산에 곧바로 투입이 가능한 성인들입니다. 그런데도 노동력 공급이 원활하지 않습니다. 상대적 과잉 노동인구는 커녕 기존 노동자의 재생산도 안정적이지 않습니다. 유럽에서는 오늘의 노동자가 내일의 노동자이고, 아버지가 노동자면 자식도 노동자가 되는데요. 식민지에서는 "오늘의 임금노동자가 내일에는 자영농민이나 독립수공업자"가 됩니다.[김, 1054~1055; 강, 1030~1031]

이런 상황은 자본주의 노동시장에 큰 해악을 끼칩니다.

노동력 부족을 만들어낼 뿐 아니라 노동시장에 나온 노동자들의 콧대를 높여놓거든요. 지난 책에서 우리는 상대적 과잉인구 즉 산업예비군의 존재가 정규군 노동자를 어떻게 압박하는지 확인했습니다. 소위 '너 말고도 일할 사람 많아' 효과를 낸다고 했지요(『노동자의 운명』, 123쪽). 그런데 식민지에서는 반대 현상이 나타납니다. 임금노동자에게 자영농민이나 독립수공업자로 변신할 기회가 많습니다. 그래서 '여기 말고도 일할 데 많아' 내지 '월급쟁이 말고도 살길은 얼마든지 있어' 효과가 나타나지요. 마르크스의 표현을 빌리자면 노동자들은 "자본가에 대한 종속관계는 물론이고 종속감정(Abhängigkeitsgefühl)마저 잃어"버리지요.[김, 1055; 강, 1031]

웨이크필드가 필의 예로 보여주었듯 자본가가 노동자를 직접 유럽에서 수송해 와도 소용없습니다. 그 노동자는 금세 "자영농민이 되"고, 경우에 따라서는 "원래 자신의 고용주였던 사람들의 경쟁 상대"가 되기도 합니다.[김, 1056; 강, 1031~1032] 이런 사회에서는 노동자들을 자본관계 안에 잡아두기가 어렵습니다.

참고로 마르크스는 이런 상황을 두고 "식민지에서는 아름다운 망상이 깨진다"(in den Kolonien reißt der schöne Wahn entzwei)라고 썼는데요.[김, 1054; 강, 1030] 인용 표시는 없지만 프리드리히 폰 실러(Friedrich von Schiller)의 시 〈종의 노래〉(Das Lied von der Glocke)에서 따온 것입니다.[83]

지난 책에서도 실러를 인용한 적이 있습니다. 노동자의

해외이주를 금지해야 한다는 어느 자본가의 글을 소개할 때였는데요(『자본의 재생산』, 저자의 말 그리고 83~87쪽). 그 글을 쓴 자본가는 노동자를 자본의 부속물처럼 다루었지요. 노동자는 설령 자본이 사용하는 않는 경우(실업 상태)에도 언제든 사용이 가능하도록 자본 가까이에 있어야 한다고요. 실제로 본국에서는 정규 노동자는 물론이고 실업자까지도 자본관계 안에 붙잡아두는 것이 어렵지 않았습니다. 노동력을 팔지 않고서는 달리 살길이 없었으니 모두가 자본관계 주변을 맴돌 수밖에 없었지요. 그러나 식민지로 이주해 온 노동자들은 그렇지 않습니다. 자본관계 바깥에서 스스로 살길을 찾을 수 있었으니까요.

◦ 웨이크필드가 제안한 일석이조의 기술, '체계적 식민화'

본국에 있을 때 자본가는 만사가 잘 풀렸습니다. 마르크스가 여러 차례 말한 것처럼 자본주의적 생산 메커니즘 자체가 자본가를 배려해주고 있었으니까요. 자본가를 위한 최적의 상태가 자동으로 산출되고 유지되었습니다. 그런데 웨이크필드는 식민지에서 정반대 상황을 봅니다. "여기서는 만사가 다 글러먹었다!"[김, 1056; 강, 1032]

식민지로 이주해 온 노동자들은 자본관계에 종속되지 않았습니다. 예속의 감정조차 갖지 않았지요. 정치경제학자들은 노동자가 감히 고개를 쳐들고 높은 임금을 요구하는 걸 보고 경악을 금치 못했습니다. 이러한 경악은 그들이 평소 품고 있던 속생각을 드러내줍니다. 그들은 입으로는 자본가와 노동자가 노동력의 구매자와 판매자로서 대등하다고, 둘은 자유롭고 평등한 관계라고 말했지만 속으로는 노동자란 자본가에 예속된 존재라고 생각했던 거죠.[김, 1054; 강, 1030] 그래서 노동자가 자본가 앞에서 주눅 들지 않는 걸 보고 충격을 받았던 겁니다.

마르크스에 따르면 아주 온건한 자유무역론자인 몰리나리(Gustave de Molinari)조차 식민지에서는 "노동자가 산업기업가를 착취"하고 있다며 흥분했습니다.[김, 1056, 각주 16; 강, 1032, 각주 268] 본국에서 노동자의 임금이 낮았던 건 노동자의 공급이 넘쳐나서 그런 거라고 수요공급법칙 운운하던 사람들이 식민지에서 상대적으로 임금이 높아지자 자본가에 대한 착취라며 펄펄 뛰는 거죠.

웨이크필드는 식민지에서 노동자들이 종속감정조차 갖고 있지 않음을 탄식했는데요. 달리 말하면 식민지에서는 그만큼 노동자들이 당당했다는 뜻이겠지요. 웨이크필드가 무심코 이런 이면의 진실을 말합니다. "영국의 농업노동자는 비참한 거지"인데 "미국의 인민대중들은 부유하고 독립적이며 모험적이고 비교적 교양까지 갖추었다"라고요.[김, 1058; 강, 1033~1034] 자본주의 본국인 영국보다 미국이 노동자들한테 더 살기 좋은 곳임을 무심코 말한 거죠.

"아냐, 신경 쓸 거 없어(never mind). 국민의 부란 본래 인민의 빈곤과 같은 뜻이니까."[김, 1058; 강, 1034] 참 재밌는 문장입니다. 마르크스의 문장인데 마치 웨이크필드가 다시 정신을 차리며 내뱉는 대사처럼 들리지요. 내가 앞에서 이번 장을 한편의 익살극 같다고 했는데요. 실제로 마르크스는 여러 문장을 이렇게 연극 대사처럼 쓰고 있습니다.

웨이크필드의 혼잣말은 계속됩니다. "그럼 어떻게 해야 식민지의 반자본주의적 악성종양을 치료할 수 있을까? 모든 토지를 한꺼번에 인민소유에서 사적 소유로 바꾸어버리면 화근을 확실히 없앨 수는 있는데 이건 식민지 또한 없애는 일이 되지 않을까?"[김, 1059; 강, 1034] 인민들이 소유한 토지를 빼앗는다면, 그래서 토지에 대한 인민소유가 사라진다면 유럽의 가난한 사람들이 식민지로 이주해 오지 않을 테니까요.

그래! "이런 게 일석이조의 기술이지."[김, 1059; 강, 1034] 웨이크필드는 '의기양양하게' 해법을 찾았다고 말합니다. 바로 '체계적 식민화'라고 하는 것인데요. 내용은 이렇습니다. 먼저 정부가 아직 주인이 정해지지 않은 땅에 대해 인위적으로 높은 가격을 매깁니다. 이주자들이 임금노동자로서 오래 일해야만 겨우 모을 수 있을 만큼 '충분히' 높은 가격이어야 합니다. 쉽게 자영농민이 될 생각을 할 수 없어야 하죠. 그다음, 정부는 땅을 매각한 돈으로 유럽의 빈민들을 수입합니다. 노동시장에 투입할 보충병을 끌어들이는 것이지요.[김, 1059~1060; 강, 1034~1036]

이것은 노동자계급을 이중으로 착취하고 자본가계급에는 이중의 혜택을 주는 것입니다. 노동자로서는 토지에 대해 인위적으로 높여놓은 가격을 지불하기 때문에 임금 일부를 착취당하는 셈입니다. 그리고 정부가 이 돈을 노동력의 추가 공급에 사용하기 때문에 노동시장에서 노동자계급의 지위가 더욱 악화되지요. 자본가로서는 높은 토지 가격 덕분에 이주자를 오랫동안 임금노동자로 붙잡아둘 수 있고(자본의 증식과 축적), 자기 돈을 들이지 않고도 유럽에서 추가 노동력을 공급받을 수 있습니다.

이렇게 되면 자본가를 알아서 배려하는 메커니즘이 유럽에서 그랬듯 식민지에서도 서서히 작동을 시작할 겁니다. "'최선의 세계에서는 모든 것이 최선의 상태로 있다'라는 격언"(『생명을 짜 넣는 노동』, 102쪽)이 들어맞게 되겠지요.[김, 1059; 강, 1035]

따지고 보면 웨이크필드가 제안한 '체계적 식민화'는 유럽에서 쓴 시초축적 방법과 다른 것이 아닙니다. 경제 외적인 힘(국가권력)을 이용해 인위적으로 자본주의적 환경을 조성한 것이니까요. 마르크스에 따르면 영국 정부는 여러 해 동안 웨이크필드가 제안한 방법을 실제로 식민지에 적용했습니다. 그러나 실패했습니다. 유럽 이민자들의 흐름이 호주 같은 영국 식민지가 아니라 영국에서 독립한 미국으로 쏠렸기 때문입니다.[김, 1060; 강, 1036]

게다가 시간이 흐르면서 웨이크필드의 처방이 더는 필요하지 않았습니다. 식민지 토지를 매각한 돈으로 유럽의 빈민들을 끌어들일 필요가 없게 되었지요. 유럽에서 "자본주의적 생산의 진보"가 일어났고(상대적 과잉인구의 생산), "정권의 압박"까지 더해지면서 거대한 이민의 흐름이 생겨났으니까요. [김, 1060; 강, 1036]

특히 미국에는 "해마다 거대하고도 끊이지 않는 인간 물결"이 밀어닥쳤습니다. 이 물결이 처음에는 미국의 동부로 밀려들더니 곧이어 서부로 이동해 갔는데요. 유럽에서 밀려드는 인구가 워낙 많다 보니 그중 다수가 서부로 이동했음에도 동부에 "정체된 침전물"(과잉인구)이 생겼습니다. 19세기 중반에는 남북전쟁이 일어났는데요. 전쟁이 유럽에서 국채시스템과 조세시스템을 발전시키는 계기가 되었듯 미국에서도 남북전쟁을 통해 자본의 축적을 돕는 계기들이 만들어졌습니다. "대규모 국채, 무거운 세금, 비열하기 짝이 없는 금융귀족의 창출, 철도와 광산 등의 개발을 목적으로 하는 투기 회사들에 대한 대규모의 공유지 공여 등등, 요컨대 자본의 급속한 집중화가 나타"났지요. 말하자면 미국 자체가 자본주의 사회로 급속히 이행했습니다. "이 거대한 공화국은 이제 더는 이주노동자에게 약속의 땅이 아니게 되었"지요.[김, 1061; 강, 1036]

영국의 식민지 호주도 상황이 변했습니다. 1851년 대규모 금광이 발견되면서 이민자들이 몰려왔지요. 이때부터 제한적 자치권을 얻은 호주의 주들은 이민자들을 더 끌어들이려 했지만 곧바로 내부에서 노동시장이 넘치는 상황이 생겨났습니다. 영국의 상품이 대거 유입되면서 영세한 호주의 수공업자들이 몰락한 겁니다. 이들이 노동시장으로 흘러들어

왔지요. 또 하나는 영국 정부가 식민지의 미개간지를 귀족과 자본가에게 마구 팔아넘긴 것이 영향을 미쳤습니다. 이 때문에 땅을 얻을 수 없는 가난한 사람들이 노동시장으로 몰려들었어요. 이로 인해 절대적 숫자로 보면 결코 많은 인구가 아니었는데도 과잉인구 현상이 나타났습니다. 마르크스의 표현을 빌리자면 "거의 모든 우편선마다 '호주 노동시장의 공급과잉'이라는 흉보를 가져올 정도"가 되었지요.[김, 1061; 강, 1036] 사실 놀랄 일도 아닙니다. 우리는 절대인구가 크게 감소했음에도 과잉인구 현상이 나타난 아일랜드의 사례를 알고 있으니까요(『노동자의 운명』, 204~212쪽).

◦ 태초에 수탈이 있었다

마르크스는 『자본』 첫 장에서 자본주의가 역사적으로 얼마나 독특한 사회형태인지에 대해 이야기했습니다. 정치경제학자들은 자본주의가 인간 본성에 가장 부합하는 사회형태이며 가장 자연스럽고 가장 오래 지속될 사회형태인 것처럼 말하지만 그렇지 않다고 했지요(『마르크스의 특별한 눈』, 170쪽).

마르크스는 『자본』의 마지막 장에서 이 점을 다시 강조했습니다. 자본주의는 자연스럽게 생겨날 수 있는 사회형태가 아니라고요. 구세계의 정치경제학(웨이크필드)은 신세계에 자본주의의 토대를 닦기 위해서는 '체계적 식민화'가 필요하다고 했는데요. 마르크스는 이것이 또한 구세계에서 자본주의가 탄생할 수 있었던 비밀이라고 했습니다. 자본주의는 매우 인위적인, 더 정확히 말하면 매우 폭력적인 개입을 통해서만 생겨날 수 있었다는 겁니다.

『자본』을 읽은 우리는 자본의 정체가 '축적된 잉여가치'임을 압니다. 자본이란 대가 없이 취한 타인의 노동이 축적된 것입니다. 자기 노동을 통해서는 잉여가치가 생겨날 수 없습니다. 타인의 노동을 제 것으로 취할 수 있는 곳에서만 자본이 가능합니다. 마르크스가 자본주의 정치경제학이 두 가지 사적 소유를 혼동하고 있다고 비판한 것은 이런 이유입니다. 자본주의는 자기 노동에 기초한 사적 소유 사회가 아니라 "타인 노동의 착취"에 기초한 사적 소유 사회라고요.[김, 1048; 강, 1024]

자본주의가 유지되려면 타인 노동에 대한 착취가 지속될 수 있어야 합니다. 어떻게 이런 시스템이 가능해졌을까요. 핵심 원리는 노동력의 상품화에 있습니다. 노골적 노예제가 불가능한 시대에 타인의 노동을 내 것처럼 쓸 수 있는 것은 노동력이 상품화되어 있기 때문이지요. 그런데 과연 사람들이 자기 노동력을 상품으로 내놓는 일이 자연스럽게 일어날 수 있을까요. 제발 나에게 일을 시켜달라고, 나를 부려달라고, 나는 당신의 지시를 받으며 당신이 원하는 대로 당신이 필요로 하는 물건을 만들겠다고 나서는 사람들이 자연에서 생겨날 수 있을까요. 자기 포기와 자기 수탈에 대한 갈망이 인간의 본성일 수 있을까요.

정치경제학자들은 노동력의 판매는 자유롭고 평등한 계

약을 통해 이루어진다고, 서로에게 이익이 되기 때문에 이루어지는 일이라고 말해왔습니다. 하지만 신세계에서 노동자들은 이 자유롭고 평등하며, 이익이 되는 거래로부터 도망쳤습니다. 땅을 가질 수 있었기 때문입니다. 자기 땅에서 자신을 위해 일하는 것이 남의 땅에서 남을 위해 일하는 것보다 더 이익이라는 것, 타인의 부림을 받는 것보다 자기 의지대로 일하는 것이 더 즐거운 일임을 알았던 겁니다. 그런 걸 알았다고 말하는 게 이상할 정도로 당연한 일이지요.

이 당연한 일이 당연하지 않게 되기까지 얼마나 많은 폭력이 행사되었던가. 마르크스가 시초축적의 역사를 통해 보여주려 했던 것이 그것입니다. 땅을 빼앗기고 공동체를 파괴당한 사람들이 겪었던 피와 불의 역사에서 자본주의라는 이상한 사회형태가 생겨난 겁니다. 노동하는 자들이 자기 노동으로 먹고살 수 없도록 생산수단을 빼앗고, 노동하는 자들이 서로 기대며 살아갈 수 없도록 공동체를 빼앗은 후에야 자본주의가 시작될 수 있었습니다. 다수의 생산자들을 궁핍과 빈곤으로 내몬 후에야 자본축적이 시작될 수 있었습니다. 자본의 창세기, 첫 문장은 이것입니다. 태초에 수탈이 있었다!

에필로그

1

"책을 다 마쳤네." 최종 교정을 마치고 마르크스는 엥겔스에게 곧바로 편지를 썼습니다. 방금 끝났다고. 그는 출생 기록을 작성하듯 시간까지 적었습니다. 1867년, 8월 16일, 밤 2시. 마르크스의 머리에서 잉태된 『자본』이 손을 거쳐 세상에 나온 순간입니다.

처음 이 편지를 읽었을 때는 필생의 역작을 세상에 내보내며 쓴 편지치고 너무 짧다는 생각이 들었습니다. 책을 마쳤다는 사실과 친구에게 고마움을 전하는 문장들이 전부니까요. 그런데 바라볼수록 뭉클해집니다. 모든 작업을 끝낸 마르크스에게 떠오른 두 가지가 그대로 드러나 있습니다. 덧입힌 것도, 덧댄 것도 없습니다. 그때 그에게는 책을 마쳤다는 사실과 친구를 껴안고 싶다는 마음만 있었던 겁니다.

2

2016년과 2017년, 두 곳의 공부 모임에서 『자본』을 강의했습니다. 열두 번에 걸쳐 『자본』 I권을 함께 읽고 토론했지요. 이 강의에 참석했던 '천년의상상' 선완규 대표가 출판을 제안했습니다. 처음에는 강의 때 썼던 원고를 정리해 한 권의 책으로 만들자고 했습니다. 그러다가 2017년 가을 새로운 제안을 내놓았습니다. 열두 번에 걸쳐 있는 강연 녹취록을 열두 권의 책으로 펴내자고요. 그러더니 기획을 더욱 발전시켜 '북클럽' 이야기까지 꺼냈습니다. 이 열두 권의 책을 만들고 『자본』을 같이 읽어나가는 모임도 만들면 좋겠다고요. 겨울이 지나면서 일은 더욱 커졌습니다. 녹취록을 검토한 후 내 생각이 바뀌었기 때문입니다. 녹취록을 폐기하고 아예 새로 써야겠다는 생각이 들었습니다. 『자본』을 요약 정리해주는 책이 아니라 『자본』을 직접 읽을 때 도움이 되는 책, 말 그대로 『자본』과 함께 읽어가는 책을 쓰고 싶었습니다.

최대한 쉽게 쓰고, 최대한 자세히 쓰고, 최대한 깊이 읽어내고, 최대한 많이 읽어내자는 마음으로 시작했습니다. 물론 마음처럼 되지는 않았습니다. 부족한 것도 문제였고 넘치는 것도 문제였습니다. 마르크스가 써내려간 문장의 취지와 맥락을 충분히 읽어내지 못한 것도 있고, 불필요한 이야기를 집어넣어 『자본』을 읽는 독자들의 호흡을 방해한 것도 있을 겁니다. 두 달에 한 권씩 펴내 2년 안에 완간하겠다는 약속도 지키지 못했습니다. 처음 예고한 시간보다 반년이 더 걸렸습니다.

3

이제 열두 권의 책이 끝났습니다. 이 길을 함께한 친구들을 껴안고 싶은 마음뿐입니다. 열두 권 모두를 편집한 남미은 선생님과 열두 권 모두를 디자인한 심우진 선생님, 열두 권 모두를 기획한 선완규 선생님에게 감사의 포옹을 전합니다. 조직과 홍보를 맡아준 안혜련 선생님과 홍보람 선생님에게도 감사드립니다. 그리고 3년 동안 책을 함께 읽어가며 응원의 메시지를 보내준 〈북클럽『자본』〉 회원과 독자 여러분에게도 감사의 말을 전합니다.

이 책의 여정은 여기서 끝나지만 마르크스와 『자본』을 읽는 일은 앞으로도 계속될 것입니다. 부디 이 열두 권의 책이 150년 전의 불을 꺼뜨리지 않고 전달했기를 바랍니다. 어딘가에 있을 사상의 대장장이들에게, 그리고 누구보다도 『자본』을 읽고 세상을 읽고자 하는 프롤레타리아인 당신에게 잘 전달했기를 바랍니다. 감사합니다.

주

1 M. Hardt & A. Negri, *Empire*, 2000(윤수종 옮김, 『제국』, 이학사, 2001, 218쪽).

2 F. Nietzsche, “Lieder des Prinzen Vogelfrei”, *Die fröhliche Wissenschaft*, 1887(안성찬·홍사현 옮김, 「부록: 포겔프라이 왕자의 노래」, 『즐거운 학문』, 니체전집 12, 책세상, 2005, 397쪽). 그리고 F. Nietzsche, *Nachgelassene Fragmente Herbst* 1884 bis Herbst 1885 (김정현 옮김, 『유고(1884년 가을~1885년 가을)』, 니체전집 18, 책세상, 2004, 498쪽).

3 M. Hardt & A. Negri, 앞의 책, 219쪽.

4 F. Nietzsche, *Morgenröthe*, #102, 1881(박찬국 옮김, 『아침놀』, 2004, 111쪽).

5 A. Smith, *The Wealth of Nations*, 1776(김수행 옮김, 『국부론』, 동아출판사, 1996, 263-264쪽).

6 K. Marx, *Capital*, Volume I, tr. by Ben Fowkes, Penguin Books, 1990, p. 871.

7 K. Marx, *Le capital*, tr. de M. J. Roy, Maurice Lachâtre, 1872~1875, p. 314.

8 W. Bonefeld, “Primitive Accumulation and Capitalist Accumulation: Notes on Social Constitution and Expropriation”, *Science & Society*, Vol. 75, No. 3, July 2011, pp. 385~386.

9 溫鐵軍, 김진공 옮김, 『백년의 급진』, 돌베개, 2015, 70~72쪽.

10 溫鐵軍, 같은 책, 110~111쪽.

11 D. Harvey, *A Brief History of Neoliberalism*, 2005(최병두 옮김, 『신자유주의: 간략한 역사』, 한울아카데미, 2007, 194쪽). 번역어는 일부 수정.

12 D. Harvey, 같은 책, 195쪽.

13 이에 대해서는 베르너 보네펠트(W. Bonefeld)의 위 논문 참조.

14 K. Marx, *Grundrisse der Kritik der Politischen Ökonomie*, 1857~1858 (김호균 옮김, 『정치경제학 비판 요강』, II, 백의출판사, 374쪽).

15 K. Marx, 같은 책, 83쪽.

16 다음의 웹 사전 참고. 〈https://www.duden.de/rechtschreibung/vogelfrei〉; 〈https://en.wikipedia.org/wiki/Vogelfrei〉.

17 H. Arendt, *The Origins of Totalitarianism*, 1951(이진우·박미애 옮김, 『전체주의의 기원 1』, 한길사, 2006, 541쪽).

18 H. Arendt, 같은 책, 534쪽. 번역의 오류는 바로잡음.

19 R. Williams, "Masses", *Keywords: A Vocabulary of Culture and Society*, 1976(김정한 옮김, 『대중과 폭력』, 이후, 1998, 부록).

20 M. Bloch, *Seigneurie française et manoir anglais*, 2nd edition, Librairie Amand Colin, Paris, 1967(이기영 옮김, 『서양의 장원제』, 한길사, 2020, 215~216쪽).

21 M. Bloch, 같은 책, 102쪽.

22 M. Bloch, 같은 책, 103쪽.

23 M. Bloch, 같은 책, 48~49쪽.

24 M. Bloch, 같은 책, 50쪽.

25 M. Bloch, 같은 책, 70쪽.

26 M. Bloch, 같은 책, 46쪽, 각주 17.

27 M. Bloch, 같은 책, 207쪽.

28 M. Bloch, 같은 책, 209~210쪽.

29 M. Bloch, 같은 책, 210~211쪽.

30 M. Bloch, 같은 책, 175쪽.

31 T. More, *Utopia*, 1516(주경철 옮김, 『유토피아』, 을유문화사, 2012, 27쪽).

32 M. Bloch, 앞의 책, 219쪽.

33 M. Bloch, 같은 책, 214쪽.

34 F. Engels, *Der deutsche Bauernkrieg*, 1870[1850](이관형 옮김, 『독일 농민 전쟁』, 『카를 마르크스 프리드리히 엥겔스 저작 선집』, II, 박종철출판사, 2008, 143쪽).

35 F. Engels, 앞의 책, 149쪽.

36 F. Engels, 같은 책, 156쪽.

37 고병권, 「코뮨주의와 소유」, 『코뮨주의 선언』, 교양인, 2008, 128~129쪽.

38 H. Verran, "Re-imagining land ownership in Australia", *Postcolonial Studies*, Vol. 1, No. 2, 1998, p. 241. 그리고 고병권의 위의 글도 참조.

39 K. Marx, *Grundrisse der Kritik der politischen Ökonomie*, 1857~1858(김호균 옮김, 『정치경제학 비판 요강』, II, 백의, 2000, 99쪽).

40 K. Marx, 같은 책, 107쪽.

41 M. Bloch, 앞의 책, 68쪽.

42 M. Bloch, 같은 책, 69쪽.

43 M. Bloch, 같은 책, 216쪽.

44 K. Marx, “Debatten über das Holzdiebstahlsgesetz”, 1842(전태국 외 옮김, 「제6차 라인주 의회 의사록: 도벌법에 관한 논쟁」, 『마르크스의 초기 저작: 비판과 언론』, 열음사, 1996, 193쪽).

45 S. Federici, *Caliban and the Witch: Women, The Body, and Primitive Accumulation*, 2004(황성원·김민철 옮김, 『캘리번과 마녀』, 갈무리, 2011, 114~115쪽).

46 S. Federici, 같은 책, 134~135쪽.

47 F. Nietzsche, “‘Schuld’, ‘schlechtes Gewissen’ und Verwandtes”, #3, *Zur Genealogie der Moral*, 1887(김정현 옮김, 『선악의 저편/도덕의 계보』, 책세상, 2002, 400쪽. 번역은 수정).

48 M. Bloch, 앞의 책, 202쪽.

49 James G. Carrier, *Gifts and Commodities: Exchange and Western Capitalism since 1700*, Routledge, 1995, p. 64. 그리고 고병권, 『화폐, 마법의 사중주』, 그린비, 2005, 54~55쪽도 참조.

50 F. Braudel, *Civilisation matérielle, Économie et Capitalisme XVe-XVIIIe siècle*, Tome 2, 1979(주경철 옮김, 『물질문명과 자본주의』, II-1, 도서출판 까치, 1996, 25쪽).

51 M. Bloch, 앞의 책, 196쪽.

52 가격혁명의 시작과 전파 양상에 대해서는 다음 책을 참조. P. Vilar, *Or et Monnaie dans L'Histoire 1450~1920*, 1969(김현일 옮김, 『금과 화폐의 역사 1450~1920』, 까치글방, 2000).

53 K. Polanyi, *The Great Transformation*, 1944(박현수 옮김, 『거대한 변환』, 민음사, 1996, 80쪽).

54 K. Polanyi, 같은 책, 86쪽.

55 K. Polanyi, 같은 책, 86~87쪽.

56 K. Polanyi, 같은 책, 86쪽.

57 P. Anderson, *Lineages of the Absolute State*, 1974(김현일 외 옮김, 『절대주의 국가의 역사』, 소나무, 1993, 31쪽).

58 고병권, 『화폐, 마법의 사중주』, 그린비, 2005, 106쪽.

59 K. Polanyi, 앞의 책, 88쪽.

60 K. Marx, *Das Kapital: Kritik der politischen Ökonomie*, 1894(김수행 옮김, 『자본론』, III-상, 비봉출판사, 2015, 412쪽).

61 K. Marx, 같은 책, 413쪽, 각주 46.

62 P. Anderson, 앞의 책, 31쪽.

63 국가의 재정지출과 금융제도의 발전에 대해서는 고병권, 『화폐, 마법의 사중주』, 그린비, 2005, 제3장 참조.

64 I. Wallerstein, *The Modern World-System I: Capitalist Agriculture and the Origins of the European World-Economy in the Sixteenth Century*, 1974(나종일 외 옮김, 『근대세계체제 I: 자본주의적 농업과 16세기 유럽 세계경제의 기원』, 까치, 2001, 212~213쪽).

65 고병권, 앞의 책, 60~64쪽. 그리고 F. Braudel, *Civilisation matérielle, Économie et Capitalisme XVe-XVIIIe siècle*, Tome 2, 1979(주경철 옮김, 『물질문명과 자본주의』, II-2, 도서출판 까치, 1996, 553쪽).

66 고병권, 같은 책, 82~84쪽. 그리고 F. Braudel, 같은 책, 554~555쪽.

67 F. Braudel, *Civilisation matérielle, Économie et Capitalisme XVe-XVIIIe siècle*, Tome 2, 1979(주경철 옮김, 『물질문명과 자본주의』, II-1, 도서출판 까치, 1996, 132쪽).

68 F. Braudel, 같은 책, 131쪽.

69 F. Braudel, 같은 책, 141쪽.

70 F. Braudel, 같은 책, 145쪽.

71 고병권, 앞의 책, 96~99쪽.

72 고병권, 같은 책, 145~146쪽.

73 N. Ferguson, *Cash Nexus: Money and Power in the Modern World, 1700~2000*, 2001(류후규 옮김, 『현금의 지배』, 김영사, 2002, 68쪽).

74 I. Wallerstein, *The Modern World-System, III: The Second Great Expansion of the Capitalist World-Economy, 1730~1840's*, 1988(김인중 외 옮김, 『근대세계체제 III: 자본주의 세계경제의 거대한 팽창의 두 번째 시대 1730~1840년대』, 까치, 1999, 37~39쪽). 그리고 고병권, 앞의 책, 148쪽.

75 고병권, 앞의 책, 142쪽.

76 Publius Vergilius Maro, *Aeneis*, Book I, line 33(천병희 옮김, 『아이네이스』, 숲, 2007, 23쪽).

77 K. Marx, 『자본론』, III-상, 비봉출판사, 2015, 568쪽.

78 K. Marx, 같은 책, 같은 쪽.

79 K. Marx, 같은 책, 312~313쪽.

80 K. Marx & F. Engels, *Manifest der Kommunistischen Partei*, 1848 (최인호 옮김, 『공산주의당 선언』, 『카를 마르크스 프리드리히 엥겔스 저작 선집』, I, 박종철출판사, 1993, 433쪽).

81 K. Marx, 『자본론』, III-상, 568쪽.

82 D. Harvey, *A Companion to Marx's Capital*, 2010(강신준 옮김, 『데이비드 하비의 마르크스 '자본' 강의』, 창비, 2014, 537쪽. 해당 내용에 오역이 있음).

83 F. Schiller, Das Lied von der Glocke, 101행(원문은 〈https://www.friedrich-schiller-archiv.de/inhaltsangaben/das-lied-von-der-glocke-zusammenfassung-friedrich-schiller/#glockeeinordnung〉 참조).

〈북클럽『자본』〉 Das Buch Das Kapital
12——포겔프라이 프롤레타리아

지은이 고병권
2021년 4월 6일 초판 1쇄 발행
2021년 6월 7일 초판 2쇄 발행

책임편집 남미은
기획·편집 선완규·김창한·윤혜인
디자인 심우진 simwujin@gmail.com
활자 「Sandoll 정체」 530, 530i, 630
펴낸곳 천년의상상
등록 2012년 2월 14일 제2020-000078호
전화 (031) 8004-0272
이메일 imagine1000@naver.com
블로그 blog.naver.com/imagine1000

ISBN 979-11-90413-20-6 04100
979-11-85811-58-1 (세트)